AMERICAN VISA

Titre original : *American Visa*
Pour l'édition originale publiée avec l'accord d'Akashic Books, New York
(www.akashicbooks.com)
© Juan de Recacoechea, 1994, 2007

© Éditions du Panama, 2008, pour la traduction française
Dépôt légal : octobre 2008
ISBN : 978-2-7557-0322-1
N° 0322-1

www.editionsdupanama.com

JUAN DE RECACOECHEA

AMERICAN VISA

TRADUIT DE L'ESPAGNOL (BOLIVIE)
PAR ISABELLE GUGNON

Éditions du Panama, 26, rue Berthollet, 75005 Paris

À ma femme Rosario et à ma fille Paola.
À la mémoire d'Antonio Alborta.

PREMIÈRE PARTIE

Le taxi s'arrêta. Le chauffeur, un type corpulent, tourna son visage joufflu vers moi. Il bouillonnait littéralement.

– Je ne peux pas aller plus loin !

– Que se passe-t-il ?

– Vous n'entendez pas la musique ou quoi ? Ils sont en train de danser par là. Ils répètent pour le défilé du Grand Pouvoir de Jésus. Ces connards bloquent toute la circulation.

J'entendais en effet au loin la cadence lourde et ennuyeuse d'une *llamerada**. Le bonhomme était furibard d'être ainsi pris dans un embouteillage, et son visage avait enflé comme celui d'un crapaud sur le point d'exploser. Les klaxons, stridents, étaient insupportables. Le chauffeur avait posé sa main sur le repose-tête du siège passager. Le bras tendu, le regard fixé sur l'horizon, frustré, il attendait.

– Où sommes-nous ?

– Place Eguino. Il va falloir que vous descendiez.

Il avait raison. Nous étions bloqués au milieu d'un flot de voitures et d'autobus.

– Combien je vous dois ?

* Danse typique de Bolivie et du Pérou qui consiste à imiter la démarche du lama. (*NdT*)

– Dix pesos, répondit-il sans ciller.

– Pour douze pesos, je vais jusqu'à Oruro.

Il sourit nerveusement et cligna plusieurs fois des yeux. Il semblait sur le point de perdre définitivement patience.

– On s'est arrêtés devant tous les hôtels de la rue Muñecas et de l'avenue Manco Kapac. Ça fait une demi-heure qu'on tourne en rond.

– Ce n'est pas ma faute si tout est complet.

– C'est comme ça.

– Sept pesos et on en reste là.

Il ne broncha pas, immobile comme un monolithe andin. Je tirai un billet de dix pesos de mon portefeuille et le posai dans sa paume luisante et aussi bombée que peut l'être le ventre d'une araignée.

– Vous trouverez peut-être une pension rue Illampu.

Il ouvrit la portière, attrapa la valise sur la galerie de la voiture et la posa par terre, à côté d'une jeune vendeuse de citrons vêtue du costume traditionnel des femmes de Potosí*. Je m'assis sur le parapet qui entourait la place. Le vent de l'Altiplano soulevait des tourbillons de poussière. La jeune fille m'étudia du coin de l'œil, prit quatre citrons au sommet de la petite pyramide qu'elle avait échafaudée sur l'une de ses couvertures et me les montra sans rien dire. Je déclinai son offre d'un léger mouvement de la tête. Un garçon de dix ans à peine, maigre comme un Éthiopien, s'approcha de moi d'un pas mal assuré. Je crus qu'il allait me voler ma valise et la serrai ridiculement entre mes genoux. Il avait un petit air effronté. Le vent ébouriffait sa chevelure épaisse. Il se posta

---

* Celui-ci est composé d'une sorte de chapeau cloche en toile, d'une jupe marron en tissu épais et, sur les épaules, de plusieurs couvertures foncées multicolores, des *aguayos*. (*NdT*)

sous mon nez et me lança un regard furtif. Le regard des Aymaras.

– Je n'ai pas d'argent, tu perds ton temps, lui dis-je.

– Je te porte ta valise ?

– Tu connais une pension bon marché dans le quartier ?

Il pointa l'index en direction de ruelles bordées de maisons délabrées.

– Combien tu prends ?

– Deux pesos.

Il avait un visage d'Indien, couleur bronze, brûlé par le soleil des hauts plateaux, et des yeux vides d'expression. Les yeux d'un survivant. Il prit ma valise et la chargea sur son épaule. Je lui emboîtai le pas dans les rues étroites et pavées infestées de monde. La nuit tombait, tiède et trompeuse. L'hiver, à La Paz, l'air est clément en fin d'après-midi, quand le soleil fond derrière la cordillère, mais il fraîchit brusquement dès que la ville est plongée dans l'ombre. Il était difficile de marcher entre les interminables colonnes de vendeurs qui hurlaient à qui mieux mieux. Un agréable fumet de porc grillé me montait aux narines, mais ce n'était pas le moment de se laisser tenter par ce genre de délices. Il me fallait vite trouver une chambre qui ne me revienne pas trop cher. J'avais peine à reconnaître cette ville – un demi-million de paysans affamés avait changé sa physionomie. Ces immigrants venus des hauts plateaux stériles s'étaient approprié les quartiers élevés de La Paz : des fourmis s'attaquant à une ruche. Leurs mouvements s'accompagnaient de rumeurs sauvages. Une masse grise et bruyante, qui avait transformé la ville en une gigantesque place de marché.

Illampu : la rue des cotillons et de la couenne de porc grillée. Des pantins en papier mâché, fragiles et gais, étaient suspendus en haut des vieilles portes de bois sculpté. Je trottinais derrière le gamin pour ne pas le perdre et contournais en sautillant les amples Indiennes assises au bord du trottoir telles des pieuvres fatiguées. Le garçon s'arrêta à l'angle de la rue Graneros, un corridor escarpé aux pavés glissants qui serpente et grimpe à n'en plus finir, comme dans les casbahs, au milieu du linge multicolore en train de sécher. Là, l'odeur des vieux vêtements mêlée à celles de la couenne de porc et de l'urine donne facilement la nausée, y compris à quelqu'un comme moi, qui suis pourtant habitué aux effluves variés des villes boliviennes. Il se retourna.

– Il y a un hôtel là-bas !

À une vingtaine de mètres plus haut, j'aperçus une enseigne jaune, agitée par le vent et éclairée par une ampoule agonisante.

– Hôtel California, précisa mon guide.

Je lui donnai ses deux pesos et repris ma valise. Après avoir poussé une porte battante, je me retrouvai dans un hall spacieux et glacial. Plusieurs clients regardaient sans grand enthousiasme le journal télévisé. La réception se composait d'une sorte de chaire en bois entourée d'une rampe. Un homme sec, à la peau blanche constellée de taches de rousseur, cessa de griffonner sur son livre de comptes pour poser ses petits yeux bleus sur moi sans la moindre déférence. Il portait des lunettes et ses sourcils broussailleux avaient l'air de balais miniatures couleur de soufre. Avec ses cheveux roux et ses gestes maniérés, il me faisait penser à un descendant décadent des Celtes. Ma présence lui arracha une ébauche de sourire de fonctionnaire mal rétribué.

– Il me faut une chambre pour une semaine, lui dis-je.

Il prit une inspiration, s'emplissant les poumons de l'air chargé des lieux, comme s'il s'apprêtait à prononcer une sentence, puis replaça ses lunettes sur son nez d'un geste affecté, m'observant de la tête aux pieds.

– Nous avons trois types de chambres : celles qui donnent sur la rue, à dix pesos la nuit ; celles qui donnent sur le premier patio pour huit pesos et celles du second patio, pour cinq pesos.

– Je me contenterai du second patio, lâchai-je précipitamment.

– Je suis le gérant. Je m'appelle Robert.

Il m'adressa un petit sourire déplaisant.

– C'est pour une personne ?

Je me retournai et regardai derrière moi. J'étais seul, si seul que cela me donnait envie de pleurer.

– Ça fait donc cinq pesos par jour, sans les taxes.

– Je n'ai pas besoin de reçu.

– Vous devez payer d'avance. C'est le règlement.

Je comptai trente-cinq pesos que je lui tendis.

– J'ai besoin de votre carte d'identité. J'espère qu'elle est à jour.

Ses doigts fuyants de prestidigitateur se posèrent sur le rebord du meuble pour prendre le document.

– Je pars aux États-Unis dans une semaine, déclarai-je. Je suis venu à La Paz pour obtenir mon visa de tourisme.

Il haussa les sourcils et sa bouche s'élargit en une grimace moqueuse, condescendante. Il me jeta un regard incrédule.

– Sur votre carte, il est indiqué que vous êtes professeur.

Aurait-il lu que j'étais astronaute que cela lui aurait fait le même effet.

– Je l'étais. Maintenant je suis commerçant.

– Nous le sommes tous devenus. La débrouille, c'est le seul moyen de s'en sortir pour les Latino-Américains…

Il laissa échapper un petit rire cynique. Tandis qu'il copiait les informations me concernant, je jetai un coup d'œil sur les clients qui se trouvaient dans le hall, pour la plupart des jeunes femmes aux seins généreux et au derrière volumineux serré dans des jeans voyants. Des entraîneuses ou des prostituées de bas étage, manifestement, de celles qui passent leur vie à économiser quelques pesos pour faire vivre leur famille restée dans des villages perdus sous les tropiques. L'une d'entre elles feuilletait un magazine de mode et leva les yeux vers moi. Son regard chaleureux m'enveloppa ; une sorte de sensualité primitive émanait de sa robuste personne. Sa peau cuivrée m'évoquait des senteurs enivrantes et ensoleillées. J'inclinai la tête comme le font les enfants de chœur et elle esquissa un sourire.

Pour mettre un terme aux formalités de rigueur, le gérant agita brièvement mais résolument une petite cloche argentée qui trônait sur le bureau. Le tintement aigu brisa le silence ambiant en produisant un faible écho contre les murs épais de la vieille demeure. Un groom surgit aussitôt de je ne sais où. Il avait une quinzaine d'années et ses cheveux, coupés en brosse, se dressaient sur sa tête comme sous l'effet d'une grosse décharge électrique. Il était imprégné des odeurs du quartier. Son visage rond et couvert de boutons ressemblait à une balle de mousse abîmée. Le gérant me rendit ma carte d'identité et s'adressa à lui.

– Montre la quarante-cinq à Monsieur.

Je le suivis dans un labyrinthe de couloirs, de passages, d'escaliers où nous croisâmes un touriste égaré, perdu dans ce dédale de tunnels qui, à première vue, ne menait nulle part. Le groom respirait comme un coureur de fond. Il marmonnait, pensait à voix haute et pestait. Nous arrivâmes bientôt devant un escalier en colimaçon qui débouchait sur le second patio. Je réalisai alors que cet hôtel était une ancienne hacienda restaurée qui datait probablement du début du siècle, époque où les propriétaires terriens de La Paz étaient les seigneurs et maîtres du plateau andin, des petites vallées étroites au climat doux et des forêts subtropicales. Ils avaient bâti d'énormes demeures dans la ville naissante pour accueillir les fréquentes caravanes de mules qui leur apportaient pommes de terre, céréales, fruits et café. Au milieu du patio, cinq ou six arbres rachitiques, bercés par la brise nocturne, semblaient dormir dans ce qui avait dû être un jour un jardin. La vétusté de ce lieu en retrait, de plain-pied, signifiait qu'il était réservé aux clients les plus modestes.

Le groom ouvrit la porte de la chambre quarante-cinq et posa ma valise à côté du lit. Fermement décidé à gérer mon maigre budget avec une méticulosité suisse, je tendis au gamin une pièce de cinquante centavos qu'il lança en l'air et rattrapa en me jetant un regard volontairement résigné. Voyant que je ne réagissais pas, il partit sans refermer la porte derrière lui. Mes tristes appartements ressemblaient davantage à la cellule d'un moine trappiste qu'à une chambre d'hôtes. Il y avait près du lit une penderie conçue pour un nain et une caisse de bois peinte en bleu qui faisait office de table de chevet. L'unique chaise de la pièce était branlante et gémissait au moindre contact. Un miroir dépourvu de cadre et une vieille commode parachevaient le tableau. Les briques qui couvraient le sol étaient glaciales. L'ampoule suspendue de façon précaire à la voûte oscillait sous l'effet des courants d'air.

Je tirai le rideau de lin. La fenêtre, devant laquelle se dressaient de sinistres barreaux, donnait sur un petit passage où un chien errant, décharné et abattu, reniflait, prudent, une poubelle. J'allai dans le patio à la recherche de la salle de bains. Je la trouvai au fond, à côté d'une buanderie : une cuvette en ciment, un lavabo ébréché, une douche d'où s'échappaient, apathiques, quelques gouttes d'eau glacée, et, dans un coin, un seau qui devait servir à l'évacuation des WC. Je regagnai ma chambre. Des mouches et des papillons de nuit volaient, déboussolés, autour de l'ampoule peu puissante. Je défis ma valise. Je possédais encore moins de vêtements que quelques années plus tôt, lorsque j'avais fait mon service militaire. Je suspendis un pantalon sur la barre qui traversait la penderie, rangeai mes trois chemises et mes sous-vêtements dans sa partie basse et posai mes chaussures au pied du lit. Je saisis mon complet gris en cachemire anglais aussi précautionneusement qu'une poupée de porcelaine et l'inspectai pour voir s'il n'y avait pas de taches compromettantes. Je comptais le porter pour ma visite au consulat de l'empire nord-américain. Il était impeccable. Je le plaçai sur le dossier de la chaise. Je testai ensuite le lit : une seule et unique couverture tricotée à la main, rapiécée comme des dessous de vieille femme, et un oreiller dur comme la pierre destiné à accompagner les rêves d'un miséreux. Deux nuits dans ces conditions et j'étais bon pour attraper une pneumonie. Je retournai dans le patio avec la ferme intention d'aller réclamer au gérant une couverture supplémentaire. C'est alors que je remarquai un vieil homme voûté qui semblait revenir des toilettes. Il avait sur le dos une canadienne rouge à rayures bleues, portait un pantalon en velours d'une couleur indéterminée, de grosses chaussures de randonnée et un bonnet de laine, relique d'une époque plus heureuse. Il se déplaçait avec difficulté, s'aidant d'une curieuse canne qui me fit penser à celles des sorcières de *Macbeth*. Il leva la tête et prit trois longues inspirations, chacune accompagnée d'un sifflement asthmatique et d'un râle inquiétant. Je parlai le premier.

– Bonsoir.

Il replaça ses lunettes sur son nez et me dévisagea de ses yeux gris et voilés avec une ironie malicieuse.

– Il est plus froid que bon, le soir, plaisanta-t-il.

– Je suis dans la chambre quarante-cinq, je viens tout juste d'arriver. Vous pensez qu'il serait possible d'avoir une autre couverture ?

Il m'écoutait en lissant sa magnifique moustache prussienne, grise mais encore martiale.

– J'ai essayé il y a trois ans. Et j'attends toujours. Le tenancier est têtu, comme tout bon Écossais, mais peut-être qu'en y mettant quelques pesos…

– Il fait plus froid dans ma chambre qu'ici.

– Ça, le patron s'en fiche. Les clients qui occupent les chambres du second patio n'ont pas droit à ce genre de privilèges. On nous tolère, mais nous devons éviter de nous plaindre. Je suis asthmatique : aller aux toilettes est pour moi une véritable expédition. Enfin, c'est le prix à payer pour n'avoir aucune rentrée d'argent. Combien de temps comptez-vous rester dans ce Ritz des quartiers pauvres ?

– Le temps d'obtenir mon visa pour les États-Unis. Je vais voir mon fils, il vit en Floride.

Le vieillard passa la main dans ses cheveux clairsemés, se grattant le crâne d'un geste lent et exaspérant. Ses doigts tremblaient. Il avait peine à respirer et haletait pour glaner un peu d'air.

– Vous n'êtes donc là que pour quelques jours. Vous avez de la chance. Moi, je n'ai malheureusement pas d'enfants, sans quoi je ne m'attarderais pas dans cet hôtel. Comment vous appelez-vous ?

– Mario Alvarez.

– Votre famille est originaire de La Paz ?

– Nous vivions à Oruro, mais je suis né à Uyuni.

Je crus lire de la déception dans ses yeux.

– J'y suis allé il y a quarante ans. À l'époque, c'était une localité progressiste. On m'a dit que c'était devenu un village fantôme.

– Le vent est la seule chose qui bouge encore, là-bas.

– Un de ces bons à rien de médecins de l'hôpital public m'a conseillé de m'installer à Uyuni ou à Río Mulatos car mon asthme empire de jour en jour. Il m'a dit que plus on monte, plus l'air est sec, et que plus l'air est sec, mieux c'est. Mais avec qui discuterais-je à Río Mulatos ? Je vous le demande… Plutôt mourir d'asthme que d'ennui. Malgré tous ses défauts, cet hôtel est un remède à ma solitude. Les prostituées et les ouvriers sont préférables au silence…

– Ça fait combien de temps que vous vivez ici ?

– Trois ans. Une véritable prouesse si on considère tous les virus qui circulent dans la région et ma pauvreté endémique. Mais les clients du second patio ont le droit de payer une fois par mois, un geste généreux de la part du propriétaire. C'est un gentleman diabétique, confiné au rez-de-chaussée avec sa femme, une harpie qu'il a ramenée de Potosí. Elle est infirmière et veille sur lui toute la sainte journée. Certains disent que c'est pour son bien, mais moi, j'ai l'impression qu'il va de plus en plus mal. Au dire des mauvaises langues, elle voudrait l'envoyer le plus vite possible dans l'autre monde pour hériter de sa fortune. Cet homme est millionnaire. En plus de cet hôtel minable, il possède trois ou quatre maisons dans le quartier de Miraflores et deux appartements à Buenos Aires. Vous imaginez? Il préfère habiter le quartier de Rosario plutôt que de s'installer dans le joyau du Río de la Plata! Allez comprendre ces pauvres riches! L'infirmière, le gérant et le vieux richard : voilà un sacré trio.

– Je n'ai vu que le gérant. Pourquoi est-il aussi roux?

– Son père est écossais. Il a échoué sur ces terres après avoir été embauché par la Compagnie minière de Bolivie comme conseiller économique sous le premier mandat de Paz Estenssoro. Il est resté quelques années à La Paz, assez pour se remplir les poches de dollars, puis il est parti. On n'a plus jamais eu de ses nouvelles. Entre-temps, il avait engrossé une pauvre oie blanche, caissière à la Banque centrale, qu'il avait promis d'épouser et d'emmener dans l'austère ville d'Édimbourg. Le gérant est le fruit de cette union exotique. Il parle anglais comme à Oxford et baragouine l'espagnol comme un paysan bolivien. Il déteste cordialement les clients du second patio. Moi parce que je n'ai pas le sou ; le travesti de la quarante-deux parce qu'il est ce qu'il est ; le vendeur de vins parce qu'il n'a jamais voulu lui offrir une bouteille de vin chilien ; l'ancien gardien de but du Chaco parce que, à l'occasion, il couche avec une des filles du cabaret Tropicana. Ce type ne supporte

pas la compétition… Je m'appelle Alcorta. Antonio Alcorta,
ajouta-t-il en me tendant une main douce et molle. Mes amis
m'ont surnommé *Loro**, à cause de mon magnifique nez cer-
vantesque.

– Excusez-moi, vous avez l'heure ?

– Neuf heures dix. Une heure terrible pour moi. Celle où je
dois aller chercher ce fichu Tedral, une pilule contre l'asthme.
Dans la journée, j'oublie de l'acheter, et le soir, il me faut
trouver une pharmacie de garde.

– Je peux y aller si vous voulez.

– Merci de votre gentillesse. Les gens d'Oruro sont connus
pour leur générosité. Mais après le long voyage que vous venez
de faire, je ne vous conseille pas de crapahuter dans ces rues
escarpées. Vous pourriez attraper un emphysème et atterrir à
l'hôpital public, ce qui revient au même que de tomber entre les
mains du tristement célèbre docteur Mengele.

– Il paraît qu'il est dans les parages, avec Barbie.

– Ça ne m'étonnerait pas qu'il soit conseiller au ministère
de l'Intérieur.

Antonio me plaisait bien. Il y a des gens qui, en apparence,
ne souffrent d'aucune frustration. À l'évidence, la vieillesse
l'avait surpris sans un sou et il vivait dans la misère, mais il
avait l'air de surmonter ses difficultés avec une certaine
classe. On lui aurait donné vingt ans de moins. Je pris congé
de lui et, comme il fallait s'y attendre, me perdis longuement
dans ce méandre de couloirs conçu par un architecte fou.

Dans le hall, le gérant, vautré dans un fauteuil de velours,
jouait nonchalamment aux échecs avec un chauve qui ressemblait à Groucho Marx. Sur le poste de télévision passait
une de ces *telenovelas* vénézuéliennes généreuses en jolies

* *Loro* signifie « perroquet » en espagnol. (*NdT*)

femmes mais où tout le monde se dispute, s'insulte ou se bat. L'assistance n'en perdait pas une miette.

– Serait-il possible d'avoir une couverture de plus ? demandai-je humblement.

Le gérant me toisa en remuant sa mâchoire comme un chameau.

– Pour quelqu'un qui vit à Oruro, ici, c'est le printemps.

– Mais là-bas, je ne dors pas seul.

– Je regrette, nous n'avons plus de couvertures.

– Je vous donnerai deux pesos si vous m'en trouvez une.

Il se leva sans se presser et posa une main sur mon épaule.

– Je vais voir ce qu'il me reste.

Il poussa le battant de la réception et disparut derrière un paravent chinois, pour revenir aussitôt avec une couverture noire bordée de laine jaune qui sentait le renfermé.

– C'est tout ce que j'ai pu dénicher dans la réserve. Évidemment, ça fera deux pesos de plus par jour.

– C'est absurde ! À ce prix-là, autant m'en acheter une neuve !

– Libre à vous, monsieur Alvarez, dit-il avec un sourire mauvais tout droit sorti d'un film de truands des années cinquante.

– Je vous la rendrai demain.

Je regagnai ma chambre et m'observai dans le miroir. J'étais pâle et hagard. Avec cette allure de rescapé sauvé des eaux, on me refuserait certainement mon visa. J'avais de toute urgence besoin de me faire faire la barbe et couper les cheveux. Je me frottai nerveusement le menton, me sentant à nouveau mal à l'aise et peu sûr de moi. Pour me redonner du courage, j'avalai une gorgée du *pisco** bon marché que je conservais pour les mauvais jours. J'en avais toujours une petite flasque dans l'une des poches de mon manteau.

---

* Boisson alcoolisée. (*NdT*)

Ensuite, je me déshabillai et enfilai un pyjama en laine identique à ceux des chercheurs d'or du lointain Klondike. J'éteignis la lumière. Le problème, c'est que je ne pouvais pas éteindre le bruit. Apparemment, dans ce quartier, nuit et silence n'allaient pas de pair. Pour des centaines de milliers d'Aymaras, une nouvelle journée de travail commençait. Le vacarme était de plus en plus intolérable, un essaim d'abeilles bourdonnait dans mes oreilles. Vers minuit, j'entendis la petite toux monotone d'Antonio, puis, à une heure, le silence. Enfin. Je fermai les paupières de toutes mes forces pour faire apparaître la mer, signe que tout allait bien. Je m'endormis.

Je fus violemment tiré de mon sommeil par les cloches. Maudite soit la coutume médiévale qui consiste à appeler les fidèles à la messe en carillonnant. Les curés ne se soucient pas le moins du monde du repos des autres. Le soleil venait de se lever, à en juger par l'éclat rougeoyant derrière les rideaux. Les cloches de l'église du Rosario semblaient résonner contre ma nuque, à croire que le légendaire Charles Atlas frappait sur un gong fiché dans mon cerveau.

Je sortis dans le patio en pyjama. Il n'y avait aucun autre client. Ils étaient soit sourds, soit habitués au sadisme manifeste du sonneur... Je retournai dans ma chambre, m'enfonçai du papier toilette dans les oreilles et me glissai sous les couvertures. Impossible de me rendormir. J'étais fatigué, de mauvaise humeur. J'allumai une cigarette en pensant à ce qu'un compagnon d'ivresse, à Oruro, m'avait dit un jour : « Les Américains peuvent lire sur ton visage. S'ils voient que tu es nerveux, tu es foutu. »

La torture des cloches cessa. J'écrasai ma cigarette et essayai de nouveau de trouver le sommeil. Je n'y arrivai qu'à moitié, m'assoupissant un instant et me réveillant dans l'état léthargique d'une sentinelle. J'allai me doucher. Il faisait froid dans la salle de bains, tellement froid que je regardai au plafond, m'attendant à y découvrir des stalactites. La pomme de douche crachait un jet d'eau glaciale.

Enfant, quand je devais passer une épreuve quasi insurmontable, je pensais aux cosaques des steppes russes et fonçais sans crainte. Il me suffisait à l'époque de fermer les yeux. Maintenant, même avec des lunettes de mineur, je ne me serais pas lancé à l'aventure. La réalité refusait de s'évanouir, elle résistait à l'anesthésie. Je me mis sous la douche, mais je n'avais pas la peau aussi dure que celle des cruels cosaques ; après avoir poussé un cri, je me savonnai le corps à toute vitesse. J'enfilai ensuite mon costume d'apparat : le prince-de-galles fait sur mesure, de quoi impressionner le consul nord-américain que je redoutais tant.

Pour ce qui était de me raser, seul un spécialiste doux et précis dans le maniement du couteau pouvait s'y risquer. J'avais envie d'avoir la peau d'un bébé hollandais ; une coupe de cheveux pareille à celles des mannequins du magazine *Hola*, Espagnols aux cheveux plaqués tels des matadors, qui avaient fait leur apparition à l'époque de la *movida*. Je débouchai un minuscule flacon de parfum et m'en aspergeai magistralement les lobes. Je répétai l'opération plusieurs fois devant le miroir avec un sourire coincé. J'avais l'impression d'avoir en face de moi un évangélisateur castré en route pour le paradis, ou un tatou innocent ne voulant quitter pour rien au monde la ville d'Oruro, célèbre capitale folklorique du pays. Dans l'une des poches de ma veste se trouvait la carte qui faisait de moi l'un des fondateurs de la *diablada auténtica**. Je répétai d'une voix ferme, mais humble : « Deux semaines suffiront. Après, mon pays me manquera. Mon fils a

* La *diablada* est la danse la plus célèbre du carnaval d'Oruro. En l'honneur du dieu Uru Tiw, la plupart des danseurs sont déguisés en diables. (*NdT*)

26 fait sa vie aux États-Unis mais je ne suis pas sorti du même moule, monsieur le consul. »

J'étalai mes relevés bancaires sur le lit. Les chiffres disaient que j'avais plus de cinq mille pesos à la banque. Une petite fortune. Les Américains ignoreraient simplement que j'avais demandé à mes amis de faire des dépôts sur mon compte en leur remettant des chèques qu'ils encaisseraient plus tard. D'après les experts, le compte en banque était capital. Un notaire expert en faux m'avait également rédigé un certificat de propriété crédible établissant que je possédais au cœur d'Oruro une maison de trois étages d'une valeur de soixante-dix mille dollars, qui figurait au registre foncier. Avec ces deux documents, il était peu probable que les Américains me refusent un visa. Je quittai ma chambre ; j'avais retrouvé ma confiance.

Le plus parfait silence régnait sur l'hôtel. Dans le hall, le gérant lisait le journal en sirotant un thé. Deux routards vikings étudiaient une carte de Bolivie et une femme d'un certain âge, portant une horrible robe de chambre jaune, au visage torturé, les observait, méfiante.

Le gérant délaissa son journal et s'intéressa à moi :

– Vous avez passé une bonne nuit ?

– Vous imaginez bien que non, lui répondis-je, je suis tout près du clocher de l'église.

– Question d'habitude.

– Vous devriez intervenir pour qu'ils arrêtent de sonner les cloches comme si on avait gagné la Coupe du monde de football.

– Donnez-leur quelques pesos et je suis sûr que demain vous n'entendrez plus rien.

– Je préférerais changer de chambre.

– L'hôtel est complet. *Sorry…*

Le quartier du Rosario, le plus animé de La Paz, offrait à cette heure matinale un visage différent, discret, pour ne pas dire nostalgique. Le son des cloches s'était estompé au point de devenir un murmure implorant. Les commerces étaient encore fermés et les vendeurs des rues n'étaient pas descendus de la cité-dortoir de El Alto, ce qui facilitait la circulation dans la rue Illampu. Quelques fidèles, de ceux qui ne rateraient une messe pour rien au monde, pénétraient dans l'église. Devant la porte, un curé se frottait les mains pour conjurer le froid en contemplant le ciel bleu. De petits nuages blancs y passaient lentement.

Je cherchai un café ouvert et trouvai un endroit spacieux, simple et propre, *El Lobo*, à l'angle des rues Santa Cruz et Illampu. Je m'assis et fis signe au serveur, un type à moitié endormi, qui me tendit une carte écrite en espagnol, en anglais et dans une langue que je ne connaissais pas.

– Quelle est cette langue ?

– De l'hébreu.

– Un café juif dans la rue Illampu ?

– Un restaurant, corrigea-t-il.

Je me décidai pour le petit déjeuner américain : des œufs, du jambon, des toasts et un café. Le prix était exorbitant, mais si le consul s'en remettait à mon allure, je me devais d'avoir un visage éclatant de santé et l'air éveillé. Le garçon repartit en cuisine. J'inspectai les lieux : sur les murs, des dessins au crayon représentant des paysans des Andes, des paysages accidentés, des montagnes bleutées, sans oublier les sempiternels enfants nus courant autour de huttes de terre et de paille et, au fond de la salle, trois posters d'Israël. Les nappes fleuries qui couvraient les tables en Formica rouge n'étaient pas du meilleur goût. Un vase contenant une rose de velours aux couleurs nationales (rouge sombre, or et vert) égayait chacune d'entre elles. L'endroit n'était pas mal pour le quartier.

Le café commençait à se remplir de touristes. Une bande de jeunes agités fit son entrée. Aux intonations de leurs voix, qui m'évoquaient des provinces millénaires, je supposai qu'ils étaient Juifs. Du Yéménite au teint sombre à l'Allemand blond et pâle, tous affichaient les expressions et les manières des Levantins : les garçons étaient espiègles, indolents et sensuels ; les filles avaient de la grâce et de grands yeux inquiets, les seins moulés dans leurs T-shirts et les fesses rebondies. À leurs vêtements, on aurait pu croire que la plage était au coin de la rue. Ils parlaient fort et riaient comme peuvent le faire les adolescents sans inhibitions. Un homme aux cheveux blancs et bouclés, Juif de La Paz sans doute, les accueillit en baragouinant quelques mots d'anglais. Il s'agissait à l'évidence du patron de l'établissement. Le serveur disposa sur la table mon impressionnant petit déjeuner.

– Je n'avais jamais vu autant de Juifs en même temps , lui dis-je.

– Ils viennent de Cuzco et vont au Chili.

– Ils ont beaucoup d'argent ?

– Ici, la vie n'est pas chère pour eux. Ils ne dépensent pas beaucoup et sont bien organisés.

– Les filles ne sont pas mal.

– Oui, mais ils restent entre eux et ne font pas attention à nous. Bon, si vous voulez plus de café, vous n'avez qu'à me faire signe. Le deuxième est à moitié prix.

Habitué comme je l'avais été toute ma vie à une minuscule et pauvre collation prolétaire, je fus indisposé par le petit déjeuner que j'avais sous les yeux avant même d'en prendre une bouchée. Mon estomac avait rétréci du fait des pénuries tiers-mondistes. Tout excès se traduisait par des crampes, une symphonie de flatulences accompagnée de gargouillis. Comme si un minuscule plongeur explorait mes entrailles. J'attaquai donc ce festin matinal avec prudence, m'attendant à tout instant à recevoir un coup dans le ventre, gagné cependant au fur et à mesure par un certain optimiste et une exaltation juvénile. L'homme qui semblait être le patron passait entre les tables en souriant et en faisant des plaisanteries. En arrivant devant la mienne, il me regarda comme si j'étais un aborigène tiré à quatre épingles.

– C'est une bonne idée d'ouvrir un restaurant dans le quartier, lui dis-je.

– Les jeunes Juifs sont fascinés par notre culture. Ils adorent les *agayos*, les ponchos et les flûtes de Pan. Ils aiment voyager, mais plus sous la contrainte, comme pendant la Seconde Guerre mondiale. Ils ne se laissent pas abuser.

Il ne manquait pas d'humour.

– Contrairement à nous ! m'exclamai-je.

L'homme m'adressa un sourire en guise de réponse. Je venais de pénétrer en terrain glissant.

Non sans difficulté, je vins à bout de mon petit déjeuner pantagruélique. Je me sentais comme un prisonnier libéré de fraîche date qu'on aurait invité à des agapes somptueuses. J'allumai une cigarette en regardant le groupe de jeunes touristes. Un autobus les attendait pour les conduire jusqu'au Titicaca, le plus haut lac navigable du monde. Notre consolation nationale consiste à posséder tout ce qu'il y a de plus haut sur la planète : un stade, un vélodrome... Cela compense nos frustrations.

Un garçon en col roulé orange qui ressemblait à Jésus dit au revoir aux clients du café en leur adressant un regard bleu ciel. Il avait pris la main d'une Bolivienne au visage taché de son qui lui arrivait à l'épaule, et tenait dans l'autre un livre de Borges. Le café se dépeupla brusquement. Les jeunes Juifs quittèrent les lieux sans rien laisser dans leurs assiettes.

– Vingt-cinq petits déjeuners ! s'écria le patron.

– Ils sont partis ? demanda une femme en glissant la tête par le passe-plat.

– Ouais, la rassura l'un des serveurs.

La froidure du petit matin avait cédé le pas à la tiédeur. Le soleil dardait à présent ses rayons sur la ville languide et terreuse. La rue Santa Cruz était encore calme, mais les Indiennes enveloppées de couvertures et aux jupons superposés s'empressaient de monter leurs stands. Elles y vendaient d'étranges breuvages, avec lesquels elles empoisonnaient chaque jour la malheureuse plèbe qui fréquentait ces hauts quartiers.

Un peu plus tard, la jeune femme brune que j'avais vue la veille à l'hôtel California entra dans le café. Je la reconnus à ses yeux en amande et à son indolence, caractéristique des femmes de l'est du pays. Elle marchait sans se presser, balançant sa croupe imposante. Ses jambes solides supportaient avec grâce son corps robuste de belle métisse. Ses seins pointaient, semblant réclamer des caresses plus poussées. Elle s'avança résolument vers moi.

– Tu permets ?

Elle avait la voix rauque de quelqu'un qui vient de passer une nuit blanche.

– Bien sûr.

Elle bâilla sans s'embarrasser de ma présence, me demanda une cigarette sur laquelle elle tira fortement pour recracher la fumée par le nez, tel un dragon énervé.

– Tu viens juste de te lever ?

– Qui peut faire la grasse matinée avec toutes ces cloches ?

Elle ne s'était pas démaquillée de la veille. Des ombres bleues alourdissaient ses paupières, du blush rosissait ses joues, du crayon soulignait ses sourcils et ses cils étaient chargés de mascara. Des lèvres charnues d'Asiatique complétaient son portrait de zombie nocturne.

– Je rentre du travail... souffla-t-elle dans un sourire fatigué.

La blancheur de ses dents contrastait avec sa peau couleur cannelle qui sentait la campagne. Elle posa son sac en cuir sur

une chaise puis se redressa, apparemment désireuse de me
montrer sa poitrine emprisonnée dans un chemisier bon
marché au décolleté pigeonnant. Le garçon lui servit un café
d'un noir d'encre.

– Aujourd'hui, c'est un jour un peu spécial pour moi. Je dois
aller au consulat nord-américain pour obtenir un visa.

– Tu pars en vacances ?

– Mon fils vit en Floride. Il y a trois mois, il m'a envoyé un
billet d'avion.

– Qu'est-ce qu'il fait là-bas ?

– Un peu de tout, je crois. Quand il a du temps, il étudie la
gestion.

Après chaque gorgée, elle levait les yeux et entrouvrait
machinalement les lèvres. Tous ses gestes étaient intentionnés.
Elle n'était pas mon genre, un peu trop forte à mon goût. Mon
ex-femme était maigre, si maigre que j'avais parfois l'impression de la perdre quand on faisait l'amour. J'adorais la serrer
contre moi au point de lui couper le souffle, la dominer de
mon corps, la sentir sans défense, incapable de me contrer. Je
me souvenais encore de sa silhouette se découpant sous le
soleil incommodant de l'Altiplano, toujours fragile, palpitante
d'angoisse ou de froid. Antonia était fine comme un roseau et
son pas léger foulait à peine cette terre oubliée de Dieu. Son
esprit était le reflet de son corps : hésitant, intimidé… jusqu'à
ce qu'elle décide de voler de ses propres ailes et de me quitter,
tout simplement. J'avais appris par la suite qu'elle avait
trouvé l'âme sœur. Une histoire somme toute banale, comme
on en entend tous les jours.

– Comment tu t'appelles ?

– Blanca.

Contrairement à Antonia, Blanca était un produit luxuriant
de la savane amazonienne. Elle avait la magie sensuelle des
femmes au teint mat des plaines.

– Tu pars pour ne plus revenir, pas vrai ?

– Tu te trompes.

– Dans ce cas, pourquoi tu es si nerveux ?

– Je n'ai pas dormi. Quand je ne dors pas, je suis une vraie loque le lendemain.

– Tu t'es fait beau, dis donc. Mais ta barbe et ta coupe de cheveux, ça jure un peu avec le costume.

– Je comptais justement m'en occuper ce matin. Mon parrain est coiffeur.

– Je ne comprends pas pourquoi tout le monde rêve d'aller aux États-Unis. Pourquoi aller s'emmerder là-bas quand on n'a pas de fric ? J'ai une amie qui revient de New York. Elle travaillait à la chaîne, dans une usine de jouets en plastique. Elle a pris dix ans. Elle dit que là-bas, les gens ont peur, ils restent dans leur coin et ne vont pas vers les autres. Maintenant, elle travaille dans un cabaret sur le Prado et elle va beaucoup mieux.

Elle me regardait d'un air moqueur, en buvant son café à la petite cuillère.

– Moi, je n'ai rien à faire ici, rétorquai-je. Si j'étais une femme, je pourrais danser, mais je ne suis pas né avec le sexe qu'il faut.

– C'est peut-être que tu es trop vieux ? Tu as quel âge ?

Elle avait le regard encore peuplé de toutes les visions sordides de la nuit.

– Quarante ans.

– Comme mon père. Lui, il passe sa vie vautré dans un hamac. Il ne se bouge jamais. Son foie est une vraie crêpe, il boit trop. Il ne sert plus à rien. Et moi, je me casse le cul pour lui envoyer un peu d'argent tous les mois. Je me casse le cul au sens propre du terme.

– Chacun fait ce qu'il peut avec ce que Dieu lui a donné.

– Je viens tous les jours déjeuner ici. Au moins, je sais ce qu'il y a dans mon assiette.

– Tout à l'heure, il y avait plein de jeunes Israéliens...

– Je croyais que c'étaient des Allemands ou des Anglais…

Elle s'accouda et cala son menton entre ses mains. La fatigue la rendait très désirable.

– Tu travailles où ?

– À Villa Fátima.

– Tu t'en sors bien ?

– Pas trop mal. Tu sais, les hommes aiment les filles des tropiques. Ils ont l'impression de se doucher sous un jet d'eau brûlante quand ils couchent avec l'une d'entre elles. Toi, on t'a envoyé dans le second patio… lâcha-t-elle sur un ton ironique.

– Eh bien, les nouvelles vont vite dans cet hôtel…

Elle passa son pouce dodu sur le dos de ma main.

– Tout se sait. Le gérant se croit autorisé à aller voir les filles qui ne payent pas à temps. Il leur raconte tous les potins, comme une vieille célibataire fouineuse. Méfie-toi de lui. Il a la peau blanche, mais son âme est noire. Les roux sont des langues de vipère. Moi, heureusement, j'ai toujours réglé ma chambre et il m'en veut. Il me déteste.

Elle tambourina sur la table pour appeler le garçon qui accourut en se dandinant.

– Un autre café ?

– Avec un nuage de lait, répondit Blanca.

– Comment tu peux dormir après avoir bu autant de café ?

Elle haussa les épaules, sa cigarette pincée entre les lèvres.

– J'ai l'habitude. Dès que je pose la tête sur l'oreiller, je m'endors. Même les cloches du fou de l'église ne me réveillent pas. Je me lève à deux heures de l'après-midi et je déjeune ici. Après, je fais la sieste jusqu'à six heures. Si je perds ce rythme, au bout d'une semaine, je suis crevée. On boit beaucoup là où je travaille. La plupart des clients viennent essentiellement pour faire la fête, dit-elle avec un sourire fatigué.

Le garçon lui apporta son café au lait.

– Tu as l'air inquiet. C'est important pour toi, ce visa ?

– Je n'ai surtout plus trop de temps devant moi. Si je ne pars pas maintenant, je ne le ferai jamais.

Elle souleva sa tasse. Avant qu'elle ne la porte à sa bouche, son regard se fixa sur un point indéterminé, derrière moi... Elle avait l'air détaché d'une adolescente perdue dans ses rêves.

– Tu n'as jamais voulu quitter ce pays ?

– Qu'est-ce que tu veux que je fasse à l'étranger ? Je préfère tenter ma chance ici.

– Tu es bien fataliste, comme les Arabes.

– Tu sais ce que je voudrais vraiment ? Mettre quelques sous de côté et monter une épicerie à Riberalta, le village où je suis née. Si je me trouve un mari, tant mieux, sinon je resterai seule, ça n'est pas plus grave que ça. Mais j'aimerais bien avoir un fils. J'ai déjà une petite fille, qui vit avec mes parents.

Elle écrasa sa cigarette. Un rayon de soleil se posa sur ses bras musclés. Elle les caressait avec délicatesse.

– Et si on te refuse le visa ?

– Ne dis pas ça, tu vas me porter la poisse.

– Je suis à l'hôtel. Si tu l'obtiens, passe me voir, on fêtera ça devant une bonne bière.

Elle partit après avoir laissé un billet de dix pesos sur la table.

Le vent soulevait de petits nuages de poussière sur les trottoirs et faisait trembler les bâches des stands des Indiennes
qui vendaient toutes sortes de bibelots. Assises sur les pavés
glacés, elles tentaient de se protéger du froid. J'achetai une
amulette à une femme qui n'avait plus que la peau sur les os.
Elle me dit que ce fétiche porte-bonheur venait de Chiquitanía.
C'était un minuscule taureau taillé dans le bois très dur d'un
palmier. Il n'avait que trois pattes et une seule corne. Elle me
déclara fièrement que les autres avaient été mangées par le
démon que le taureau avait terrassé.

C'était une de ces matinées qui vous font oublier combien
la vie est dure et la mort, proche. Je commençai à descendre
la rue Santa Cruz. Place San Francisco, un diseur de bonne
aventure s'approcha de moi, un jeu de cartes à la main, qu'il
ouvrait et fermait comme un éventail.

– Prenez-en une. Le tarot ne ment pas. Pour un peso, je
vous dis votre avenir.

Je ne jugeai pas prudent d'aller tenter le sort après m'être
offert l'amulette. Je poursuivis mon chemin, convaincu qu'à
partir de là je saurais m'orienter et trouver le salon de coiffure de mon parrain. Je n'avais pas vu Ambrosio depuis des
années. J'avais les cheveux en bataille. Si le consul américain
me voyait avec cette tignasse, il mettrait rapidement un terme

à notre entretien. Les *yuppies* accordent beaucoup d'importance à l'apparence. Je m'en étais souvent rendu compte en regardant la télévision. Les membres de l'*establishment* ont une mise impeccable ; les autres sont des produits déclassés.

Je flânai sur l'avenue du Prado. Cela faisait dix ans que je n'avais pas mis les pieds à La Paz. La ville s'était considérablement étendue, surtout en hauteur. Des gratte-ciel s'élevaient le long de l'axe central. Ils n'étaient pas comparables avec ceux de Dallas ou de Houston, mais dignes d'éblouir les provinciaux sensibles aux mirages. Dans les capitales latino-américaines, le progrès tient souvent à des blocs de béton armé qui donnent une fausse impression de prospérité. En creusant un peu, on découvre la misère et le sous-développement.

Je me rappelais vaguement que le salon d'Ambrosio était rue San Pedro. Je posai la question au premier policier que je croisai rue Riobamba. Dans un jargon incompréhensible, il m'expliqua comment gagner la place Sucre, où je devrais ensuite redemander mon chemin. Je suivis ses conseils. J'interrogeai ensuite un cireur de chaussures qui me répondit en langage des signes. Je finis par trouver sans trop de mal. Le salon de coiffure *Sentimiento de Oruro* était situé au rez-de-chaussée d'un vieil immeuble de trois étages. Sa vitrine recevait le soleil lumineux du matin. Je poussai une petite porte battante comme on en voit dans les westerns et me retrouvai dans un local plutôt vieillot, mais bien entretenu.

Trois modestes coiffeurs en blouse blanche m'accueillirent en se fendant de mille courbettes, dans le plus pur style de Chaplin. L'un d'eux m'invita à entrer. Je reconnus alors mon parrain, le plus vieux et le plus maigre des trois. Il s'avança. Je crus un instant qu'il allait me prendre dans ses bras, au lieu de quoi il s'empressa de me débarrasser de ma veste d'un air obséquieux.

– La barbe et les cheveux ?

J'acquiesçai. Il me fit prendre place dans un grand fauteuil datant probablement du temps d'Al Capone et passa délicatement ses mains glacées dans mes cheveux. Il ne m'avait pas reconnu.

– Cela fait au moins trois mois que vous n'êtes pas allé chez le coiffeur, me dit-il.

– Parfois, je me les coupe moi-même.

– Ça se voit. Je suis sûr que vous avez une tondeuse en plastique.

– Comment l'avez-vous deviné ?

– Vous avez l'air d'un Indien d'Amazonie que les missionnaires veulent à tout prix évangéliser.

Mon parrain m'installa comme s'il s'apprêtait à m'exécuter sur la chaise électrique. Il m'examinait sous tous les angles.

– Vous verrez, quand vous sortirez d'ici, vous serez un autre homme.

Avant que j'aie pu ouvrir la bouche, il m'entraîna vers le bac à shampoing. La douchette munie d'un petit dispositif électrique crachait de l'eau bouillante que je supportai stoïquement. De retour sur le fauteuil, Ambrosio s'empara d'un énorme peigne et divisa mes cheveux en deux parties égales.

– Vous n'êtes pas Ambrosio Aguilera ? lui demandai-je alors qu'il était sur le point de me recouvrir les épaules d'un linge blanc.

Il ne pipa mot, me prenant sans doute pour un créancier qui s'était fait passer pour un client. Il avait aux lèvres un sourire aussi innocent que celui de saint François d'Assise.

– Je suis votre filleul, Mario Alvarez.

Il était toujours aussi impassible, à croire qu'il ne m'avait pas entendu.

– Je suis le fils de votre ami d'Uyuni, Jacinto Alvares.

Il se tourna alors vers moi et je pus sentir son haleine chargée de bière. Il me scrutait comme à travers un gigantesque microscope.

38

– Impossible, tu es trop vieux.

– Je viens d'avoir quarante ans. S'il était encore en vie, mon père aurait soixante-cinq ans. Il était de février et vous, de juin.

Il joignit les mains et déposa sur mon front un baiser humide.

– Je t'ai connu quand tu poussais tes premiers cris. Où vis-tu maintenant ?

– À Oruro.

– Ça a l'air d'aller pour toi.

– Avec le froid qu'il fait ici, on a tendance à se momifier. La dernière fois que je vous ai vu, c'était au carnaval, en 82. Vous aviez eu un infarctus en dansant une *cullahuada**.

Il n'arrivait pas à y croire et regardait ses employés en riant.

– Tu as bonne mémoire. Moi, je l'avais oublié, cet infarctus. Tu ressembles un peu à ton père, tu as le même nez que lui. Ça fait longtemps qu'il est mort ?

– Six ans, c'était en 87.

– Oui, tu lui ressembles, Tu as l'air aussi obstiné. Tu es marié ?

– Ma femme est partie en Argentine pour chercher sa voie.

Il ouvrit la bouche tel un poisson hors de l'eau, les yeux écarquillés.

– Et elle l'a trouvée ?

– Oui, aidée par un Argentin.

Mon parrain et ses employés semblaient trouver cette histoire très drôle.

– Elle s'est installée à Mendoza. L'Argentin a monté un restaurant sur la route qui mène au Chili.

Le rire d'Ambrosio dégénéra en une violente quinte de toux. Il se plia en deux comme s'il venait de recevoir un coup à

* Danse des tisseuses de laine d'alpaga. (*NdT*)

l'estomac. Il martela le sol plusieurs fois, soulevant un peu de poussière. L'un de ses employés, un type bedonnant, lui assena de petites tapes dans le dos. Mon parrain ouvrit la porte et cracha dans la rue sans se soucier des éventuels passants, puis se tourna de nouveau vers moi.

– Qu'est-ce que tu fais dans la vie ?

– Un peu de tout et rien en particulier. Je suis professeur, mais, en réalité, je vends des produits de contrebande chiliens.

– Nous sommes devenus les meilleurs passeurs des Chiliens.

Il avait marmonné cette phrase sans me quitter du regard, comme s'il se tenait devant un tableau abstrait dont il ignorait s'il était dans le bon sens.

– Vous allez me laisser longtemps avec les cheveux mouillés ? Je vais attraper un rhume.

Il commença à me raser la nuque. Sa main n'était pas très sûre. J'étais parcouru d'un frisson chaque fois qu'il passait près de mes oreilles.

– Avant de mourir, mon père m'a dit d'aller vous trouver si jamais j'étais dans le besoin.

Il pâlit légèrement, retenant sa respiration, persuadé que j'en voulais à son argent.

– J'aimerais une coupe comme celle de la photo, dis-je en lui montrant un mannequin dans un magazine.

– Cet homme a les cheveux ondulés. Les tiens sont raides comme des baguettes.

– Et alors ?

– Cette coupe ne va pas avec votre visage, intervint l'un des employés. Vous avez un visage carré. Celui de l'homme sur la photo est ovale.

– En plus, renchérit Ambrosio, il a l'air d'une femme. Tu tiens vraiment à lui ressembler ?

– C'est-à-dire que je dois aller au consulat des États-Unis pour essayer d'obtenir un visa.

– Dans ce cas, je vous conseillerais plutôt un léger dégradé, dit le coiffeur bedonnant. Avec la raie au milieu, mais discrète. Il ne faut pas que vous ressembliez à un danseur de tango, non plus.

– Mais j'aime bien la coupe de la photo, insistai-je.

– Les goûts et les couleurs, ça ne se discute pas, trancha mon parrain. Je vais te faire exactement la même, mais dis-toi que l'homme sur la photo a une bonne vingtaine d'années de moins que toi et qu'il est bronzé comme un surfeur alors que toi, mon garçon, on dirait que tu as passé la nuit dans le train qui va de La Paz à Atacama…

– Vous pouvez me raser la barbe, mais pas la moustache.

Je prenais l'affaire très au sérieux.

– Je vois… Ces fichus Américains te font peur, hein ?

– Ce n'est pas facile d'avoir un visa. Je dois être élégant.

– Costume élégant, cheveux brillants, conclut l'autre employé, qui était à peine plus grand qu'un nain.

Mon parrain continua de manier le rasoir. Il s'interrompait de temps en temps pour comparer ma tête et celle du modèle.

– Tu étais professeur de quoi ?

– D'anglais.

– Ici, les profs sont foutus, et les mineurs aussi.

– Pourtant, dans d'autres pays, c'est un métier honorable.

– En Bolivie, l'honneur ne veut plus rien dire. Tout ce qui compte, c'est l'argent. Peu importe que tu le gagnes en fourguant de la cocaïne ou en vendant ton corps. L'important, c'est de devenir un bourgeois.

– Avant, il y avait des gens honnêtes dans ce pays.

– Les nouveaux riches sont insupportables. C'est pour ça que tu pars ?

– Non. Je pars parce que j'en ai marre, que je veux voir mon fils et lui donner quelques conseils pour qu'il ne finisse pas comme moi.

– Ton père, c'était quelqu'un, dit Ambrosio. Pauvre, mais digne. Il n'avait pas de dettes et n'a jamais refusé de rendre un service. Ça ne court pas les rues.

J'avais de plus en plus l'air d'Humphrey Bogart dans *Le Trésor de la Sierra Madre*. Ambrosio me dépouillait de ma chevelure comme s'il avait tondu un mouton.

– Mon père disait que vous étiez le meilleur entraîneur de basket de la Bolivian Railway.

– C'était le bon temps, murmura Ambrosio, s'interrompant dans son travail pour afficher un sourire satisfait. Oruro était une ville pleine de promesses. Il y avait des théâtres, des cafés agréables, d'excellents bordels et des Slaves partout. Les bordels étaient de véritables salons de danse avec un piano. Les putes te recevaient en robe du soir. L'argent coulait à flots. Des livres sterling !

Ma coiffure n'avait aucun rapport avec celle du bellâtre du magazine. Je ressemblais à un Indien avec une grossière raie au milieu qui, plus qu'une raie, était un sentier. Quant à mes cheveux, ils s'étalaient de chaque côté comme des plants de coca cultivés en terrasse.

– Une fois rasé, tu ressembleras à Carlos Gardel, dit mon parrain.

Le rasage fut un véritable supplice car Ambrosio tremblait et sa lame était émoussée. À chacun de ses passages, j'avais l'impression qu'il m'écorchait. En fin d'opération, mon menton était couleur carotte. Pourtant, quand je me regardai dans le miroir, j'avais rajeuni de dix ans.

– Alors, fiston, qu'est-ce que tu en penses ? Pour le visa, c'est dans la poche ! Apportez-moi le parfum pour les touristes !

Ambrosio m'aspergea d'une eau de Cologne allemande qui datait de l'entre-deux-guerres. Je sentais la pute à cinquante mètres.

– Combien je vous dois ?

42

– Rien du tout. Il ne manquerait plus que ça. Je t'ai coiffé en mémoire de ton père, et cela m'a fait plaisir.

– Magnifique, dit le ventru. Quand le patron s'y colle, il n'y a pas meilleur coiffeur dans tout le quartier.

– Il manque quelque chose, murmura Ambrosio, mais je ne sais pas quoi… Les Américains n'aiment pas les beaux Latinos. Ils ont peur de se faire piquer leurs jolies blondes. Ils préfèrent les gars qui n'ont pas l'air trop arrogants… Je crois que j'ai la solution.

Il cracha à nouveau dans la rue.

– Des lunettes… Avec ça, aucun problème, fiston.

Il ouvrit l'un des tiroirs d'un buffet et brandit fièrement des lunettes rondes à monture métallique. Elles devaient séjourner là depuis des années. Avec ça sur le nez, je ressemblais maintenant à un James Joyce des hauts plateaux andins.

– Ces lunettes ont une histoire, mon cher filleul. Elles appartenaient à un Allemand qui venait se faire couper les cheveux chez moi dans les années cinquante. À l'époque, je louais un local rue Comercio. Le propriétaire était un fils à papa, il m'a fichu dehors parce qu'il voulait mettre un magasin de chaussures à la place. L'Allemand avait fui son pays, c'était un nazi recherché par les services de police. Il avait apporté en Bolivie quelques bijoux, sûrement volés aux Juifs, et avait monté une pâtisserie. Il m'a raconté qu'à Berlin, il faisait du théâtre. Ces lunettes, il les portait pour s'amuser. Il s'agit de verres neutres. Tu as l'air sérieux avec, elles te vont très bien… Quelle profession as-tu indiquée sur ton passeport ?

– Commerçant.

– Ça vaut mieux. Si tu mets « professeur », ils auront vite fait de te renvoyer chez toi. Ils savent ce que gagnent nos pauvres enseignants.

– Pour ça, j'ai fait le nécessaire.

– Ils font attention à tout. Et maintenant, avec la cocaïne, c'est encore pire. Ils se figurent que tous les Boliviens en ont cent grammes sur eux. Parle-leur anglais, ça les flattera.

Mon parrain m'observait, visiblement satisfait de son œuvre.

– Je sais déjà par cœur tout ce que je vais leur raconter, répondis-je.

– Passe me voir avant de partir. Si tu as besoin de quoi que ce soit… oh, je ne parle pas d'argent, parce que je suis à sec. La coiffure, ça ne marche plus comme avant. Ces foutus péquenots qui viennent de leur cambrousse ont monté des centaines de salons.

Il m'entraîna devant un miroir magique permettant de s'inspecter dans les moindres détails. À vrai dire, je ressemblais plus à un visiteur médical qu'à Carlos Gardel.

– Bonne chance, me lança Ambrosio. Tu ne veux pas boire une bière ?

– Non merci. Quand je commence, je ne sais plus m'arrêter.

– Qu'est-ce que tu vas faire aux États-Unis ?

– Ce qui se présentera. N'importe quoi.

– Mon fils Raúl est à Chicago. Il vend des annuaires téléphoniques, il connaît plein de monde. Il touche huit dollars de l'heure.

– Une fortune !

– Il faut avoir de l'expérience pour faire ce métier.

Je regardai mon parrain une dernière fois : la peau sur les os, le teint cireux, aigri, un pauvre épouvantail dont le visage trahissait l'irrépressible penchant pour l'alcool… Je lui serrai la main, quittai le salon et hélai un taxi place Sucre. Le chauffeur devait emmener deux passagers au ministère des Finances, mais il voulut bien me rapprocher du consulat et me laisser rue Ayacucho, à l'angle de la rue Potosí.

Il était presque dix heures, ce qui me sembla une bonne heure pour aller voir les gringos. Le consulat se trouvait dans un immeuble plutôt vétuste. Il y avait la queue jusque dans les escaliers. Deux policiers boliviens tentaient de contenir la foule. Certains protestaient contre la lenteur qu'on mettait à les recevoir ; d'autres attendaient en silence, dociles comme des moutons.

J'ai toujours été un expert dans l'art de tromper mon monde. Je gagnai la porte d'entrée sous prétexte d'apporter du courrier officiel. Une fois devant le policier qui surveillait l'accès à la sacro-sainte délégation consulaire, je lui glissai cinq pesos avec l'habileté d'un pickpocket. L'homme était confus et embarrassé, mais, en me voyant si assuré, il me fit signe de monter. À l'étage, j'affrontai un deuxième agent assis à une petite table, à côté d'un portique détecteur de métaux. Il me demanda ce que je faisais là. Je répondis que je venais déposer un dossier pour obtenir un visa touristique, ce à quoi il ne cilla pas, aussi impassible qu'une sentinelle gurkha.

– Avancez.

Il pointa du doigt le portique. Je m'exécutai et passai sous le détecteur de mauvaises intentions sans qu'aucune alarme se déclenche. Immédiatement après, derrière un guichet vitré, un marine en uniforme impeccable était chargé de vérifier les papiers d'identité. Quand je lui tendis ma carte, mon cœur se mit à battre la chamade. L'homme, plutôt beau gosse, posa sur moi des yeux bleus et inexpressifs.

– Prenez un numéro et attendez votre tour, me dit-il dans un espagnol correct.

Mon pouls battait aussi vite que celui d'un astronaute en orbite. Il devait atteindre les cent pulsations par minute. Je pénétrai dans une grande salle avec plusieurs rangées de fauteuils. Tous étaient occupés, plusieurs personnes attendant debout. Je tirai d'une sorte de distributeur un ticket marqué du numéro trente-huit. Je me dirigeai vers le fond de la salle, en direction des fenêtres où le soleil du matin entrait à flots.

Les demandeurs de visas échangeaient leurs impressions à voix basse. On se serait cru dans un couvent. À l'évidence, tous murmuraient parce qu'ils étaient morts de peur, et il y avait de quoi. Deux hommes et une femme, à l'abri derrière un imposant comptoir, appelaient un à un les numéros. Ils en étaient au quatorze. Les deux hommes étaient américains et la femme, jeune et jolie, bolivienne. Mon sort était entre leurs mains. L'homme du milieu, un gars robuste, devait peser au moins cent kilos : le chef, sans doute. Il avait un cou de taureau et une tête de joueur de football américain, l'air un peu rude. Il portait une veste en tweed, une chemise blanche et un nœud papillon. Il émanait de sa personne une sorte d'asepsie clinique, l'homme ne souriant pas facilement et se montrant distant quand il parlait avec les demandeurs de visas. Il examinait sans grande conviction les documents qu'on lui remettait, puis, selon les cas, les rendait à leur propriétaire ou les plaçait en haut d'une pile. Son collègue était un immense Noir au corps d'athlète, qui mesurait au bas mot 1,90 mètres. Ses manches relevées permettaient d'apprécier de longs bras qui économisaient leurs mouvements, des mains impressionnantes qui s'agitaient comme deux pinces de crabe au milieu de la paperasse. Il me faisait l'effet d'un fonctionnaire obéissant qui n'a jamais eu un mot plus haut que l'autre. Sans être très affable, il traitait les gens avec gentillesse. J'en déduisis qu'il faisait partie de la classe moyenne et cherchait à faire carrière dans l'administration. Il parlait mal l'espagnol, et lorsqu'il ne trouvait pas le mot adéquat, il le disait en anglais. Mieux valait avoir affaire à lui qu'au rustaud tatillon. La femme, menue et fragile, paraissait la plus accessible, mais au bout de quelques minutes je me rendis compte qu'elle était inflexible avec les gens qu'elle interrogeait. Le plus prudent consistait donc à essayer de tomber sur le Noir, dont je pourrais peut-être gagner les faveurs à l'aide d'une ou deux phrases bien tournées agrémentées de quelques mensonges.

J'attendis que le temps s'écoule. Et il s'écoulait lentement. Au bout d'une demi-heure, on appela le numéro vingt-cinq. Je pus enfin m'asseoir. J'avais les nerfs en pelote à force d'entendre les gens se lamenter de l'autre côté de la salle : ceux dont les papiers n'étaient pas en règle passaient dans une sorte de confessionnal où ils étaient reçus par le consul en personne, qui décidait de leur sort. Une personne sur trois atterrissait dans son bureau. Au moindre doute de sa part, on les renvoyait. Le consul n'était pas impressionnant physiquement. C'était un petit gros plutôt sympathique qui riait souvent. Pourtant, au moindre défaut dans un dossier, il se durcissait et devenait têtu comme une mule. Il écoutait mes compatriotes pleurnicher, esquissait un sourire d'aimable policier, puis leur refusait l'accès au paradis en se montrant aussi sévère qu'un procureur.

J'étais assis à côté d'une fille d'une vingtaine d'années accompagnée de son père. Elle avait l'air très angoissée. Elle ne cessait de se frotter les mains et de renifler. Elle chaussait et retirait ses lunettes toutes les trois secondes, le regard fixe comme lorsqu'on monte sur l'échafaud, et ne semblait pas entendre les paroles rassurantes de son père.

– Avec les actions de la brasserie, il n'y aura pas de problème. Ça représente beaucoup d'argent, au moins vingt mille dollars. Ne sois pas ridicule. Et puis il y a l'acte de propriété de nos maisons. Calme-toi, à force tu me rends nerveux.

Elle paraissait sur le point de fondre en larmes. Les Américains étaient intraitables quant aux ressources des demandeurs de visas : il fallait présenter des actes de propriété, des relevés d'impôts et de comptes courants. J'avais tout cela, mais il s'agissait de faux. J'espérais que les employés du consulat n'y verraient que du feu, ce qui ne relevait pas du domaine de l'impossible. Il fallait juste que la chance soit de mon côté.

À onze heures trente de cette matinée fatidique, la chaleur était suffocante, à croire que l'affluence et la tension avaient

fait monter la température. Les trois employés du consulat
buvaient du café, bavardaient et se levaient de temps en
temps, ruisselants de sueur, visiblement fatigués et de moins
en moins aimables. Ils étaient même devenus franchement
désagréables.

– Trente et un ! cria la femme.

La jeune fille assise à côté de moi se leva. Chargée d'une pile
de certificats et d'écritures qui aurait pu permettre d'arra-
cher un Juif aux mains des SS, elle se dirigea, hésitante,
vers l'employé à la veste de tweed. Accablé par la chaleur,
l'homme était d'une humeur de chien. Elle lui tendit ses
papiers et se tourna vers son père pour se donner du courage.
Celui-ci lui sourit. L'employé discuta quelques minutes avec la
jeune fille. Il posait des questions ; elle répondait, intimidée.
Son supplice ne dura pas longtemps. Las, son bourreau
décida d'écourter l'entretien. La fille regagna son siège d'un
pas léger, apparemment satisfaite. Son père l'embrassa sur la
joue, plutôt content de la manière dont s'étaient déroulées les
choses.

– Qu'est-ce qu'il t'a dit ?

– Je dois revenir dans trois jours, le temps qu'ils vérifient
tout.

– Tu lui as montré les actions de la brasserie ?

– Oui, ça a marché. Je crois qu'il n'y aura pas de problème.
Il a essayé de m'impressionner, mais je ne me suis pas laissé
faire.

Elle avait repris ses couleurs. Avant de partir, elle m'adressa
un petit sourire en guise d'au revoir.

Je pensais à voix haute. « Vérifier les documents… Merde,
c'est quoi cette histoire ? » Les jambes vacillantes, j'avançai
jusqu'à la première rangée de fauteuils. Apprendre qu'on
s'assurait de l'authenticité des documents m'avait fait l'effet
d'un coup de poignard en plein cœur. « S'ils vérifient, je suis
foutu. »

Ce fut bientôt le tour du numéro trente-cinq qui alla s'entre-tenir avec l'athlète noir dégoulinant de sueur. Il n'aurait pas davantage transpiré dans un hammam. À ma droite, une femme à l'élégance modeste et au parfum discret attendait en lisant un magazine. De temps à autre, elle promenait un regard hautain autour d'elle.

– Excusez-moi, madame, mais je n'ai pas bien entendu... Ils vérifient les documents ?

– C'est nécessaire. (Sa voix était rauque, presque aussi grave que celle d'un homme.) Imaginez, tout le monde veut sortir du pays. Il est très facile de faire des faux documents. Tout est pourri ici. Des années de chaos politique nous ont conduits à la ruine. C'est une véritable catastrophe morale, vous ne trouvez pas ?

– Si, si, bien sûr, m'empressai-je de bredouiller.

– C'est la première fois que vous demandez un visa ?

– Oui, je vais voir mon fils.

– La première fois, c'est très difficile. Ils pensent que vous voulez un visa touristique pour aller travailler aux États-Unis.

– Ce n'est pas mon cas. J'ai passé l'âge, et puis j'adore mon pays.

Elle me toisa comme si je venais de dire une grossièreté.

– Vous en avez de la chance ! Moi, je ne peux pas vivre en Bolivie. Tous ces Indiens... Ils ne vous font pas peur ?

– Je ne me suis jamais posé la question sous cet angle.

– Le taux de natalité le plus fort de toute l'Amérique latine. Dans cinq ans, ils auront envahi nos quartiers !

– Heureusement pour vous, ils n'arriveront pas jusqu'aux États-Unis. Vous vivez où exactement ?

– À Chicago, dans l'Illinois. Mon mari est médecin. Moi, je suis originaire de Cochabamba.

– Une jolie ville, mais surpeuplée.

– À cause des réformes agraires. Maintenant, les escrocs possèdent toutes les terres et y font pousser de la coca. C'est quand même incroyable… Il n'y a pas si longtemps, ils se disaient révolutionnaires… Et vous, vous êtes au point ?

49

– Comment ça ?

– Je veux dire… vous êtes en règle ?

– J'ai apporté l'acte de propriété de ma maison et des photocopies de mes relevés bancaires.

– Ils examinent ces choses-là de très près. Je crois même qu'ils engagent des détectives pour enquêter à la mairie et dans les banques. Vous savez, les Américains ne dorment jamais.

– Des détectives ? Vous ne croyez pas que vous exagérez un peu ?

J'avais l'impression que mon cœur avait cessé de battre. Je toussai et me frottai la poitrine.

– Quelque chose ne va pas ?

– J'ai du mal avec les montées et les descentes de cette ville. Oruro est plat.

Le Noir aux bras de mante religieuse appela le numéro trente-six. Une nonne qui tenait à la main une bible et un rosaire s'avança vers lui. Il l'accueillit avec un grand sourire, lui montrant ses grandes dents blanches et brillantes.

– Vous avez quel numéro ? demandai-je à la femme.

– Le quarante-quatre. J'espère passer aujourd'hui. J'aimerais prendre l'avion après-demain. Pour moi, c'est de la routine, juste un renouvellement de visa. Je suis résidente aux États-Unis, mais j'ai gardé mon passeport bolivien. Pourtant, ça fait quinze ans que je vis là-bas. Qu'est-ce que vous dites de ça ?

– Je vous félicite. Vous êtes courageuse.

– Être résident est réconfortant. On peut entrer et sortir du pays comme on veut.

– Trente-sept ! cria la jeune Bolivienne.

C'était la pire chose qui puisse m'arriver. J'allais tomber sur le grand costaud. Il avait l'air des plus sinistres et se mordait les lèvres, en quête de sa prochaine victime. Et cette victime, c'était moi.

J'aurais volontiers vendu mon âme au diable en échange d'un visa, mais je n'avais plus le temps pour ça. L'employé vêtu de tweed s'adressait à un jeune type en jean et veste ample.

– Allez dire ça au consul, peut-être qu'il comprendra.

– Mais j'ai une lettre qui prouve que je suis admis à l'université. Pourquoi voir le consul ?

– Allez dans la pièce d'à côté. Cette affaire relève de ses compétences.

Immobile comme une statue, l'inquisiteur impérial attendait dans le petit confessionnal.

– Trente-huit !

Personne ne se leva, surtout pas moi. J'étais pétrifié de peur, incapable de bouger, et encore moins de penser.

– Trente-huit, répéta l'employé.

J'avais les jambes en coton, le bas-ventre et les reins brûlants. Le grand costaud archiva mon numéro et appela le trente-neuf. Un quart d'heure s'écoula avant que je puisse marcher. Je demandai ma carte d'identité au marine et quittai le consulat.

J'étais un lâche, un misérable lâche. Le pire, c'est que j'avais la certitude que je ne remettrais plus jamais un pied au consulat. Des détectives... Qu'est-ce que j'allais faire, moi, maintenant ?

J'avais un besoin urgent de boire quelque chose de fort, dont l'effet soit immédiat. Rue Potosí, je découvris un minuscule bar au rez-de-chaussée d'un hôtel. Un lieu intime et élégant, aux murs lambrissés. Derrière le bar, un garçon aux manières étudiées et efféminées testait un percolateur. Je m'installai devant la fenêtre qui donnait sur la rue. Une fille souriante au teint mat, en chemisier blanc et jupe noire, vint prendre ma commande.

– Un cognac, s'il vous plaît.

– Français ?

– Je préfère, oui.

Je n'avais pas bu de cognac depuis longtemps, c'était trop cher pour moi, surtout à présent, mais j'étais un petit-bourgeois ruiné et nostalgique. Seuls les sédatifs raffinés pouvaient calmer mes nerfs à fleur de peau. Je demandai un paquet de cigarettes. Le bar était silencieux, presque plongé dans la pénombre. Avant d'ouvrir la bouche, la clientèle donnait l'impression d'attendre qu'un metteur en scène caché quelque part lui fasse signe. La tranquillité de cet endroit me permettrait de faire le point. J'avais lamentablement échoué. Les faux documents et les relevés bancaires n'avaient servi à rien. Je n'avais pas eu le cran d'affronter l'entretien. Tout cela à cause de cette vieille folle qui avait parlé de détectives. Si c'était vrai, l'employé m'aurait rendu mes papiers en refusant catégoriquement de me délivrer un visa. Lorsqu'on échoue une première fois dans cette entreprise, il y a peu de chances d'y parvenir ensuite. Si, au contraire, ma voisine avait raconté n'importe quoi, je m'étais comporté comme un idiot.

La situation ne pouvait pas être pire. La serveuse m'apporta mon verre. J'allumai une cigarette. Retourner à Oruro était inenvisageable. Le Slave dont j'écoulais la marchandise au Chili avait dû engager quelqu'un d'autre. Trouver un petit boulot alimentaire équivalait à exiger d'un aveugle qu'il déniche une aiguille dans une botte de foin. Mes amis d'enfance avaient organisé pour mon départ des fêtes somptueuses qui leur avaient coûté une fortune. Quant à ma petite amie, caissière dans un magasin de chaussures, elle m'avait régalé d'un dîner glamour à l'hôtel situé près de la gare routière, après quoi nous avions fait l'amour jusqu'au petit matin. Elle avait pleuré comme une Madeleine et promis de m'écrire une fois par semaine. La propriétaire du deux-pièces-cuisine que j'occupais m'avait rendu la caution que je lui avais versée deux ans plus tôt. J'étais même allé sur la tombe de mes parents leur dire adieu pour toujours. Rentrer ? Dans quel état ? Vaincu, la queue entre les jambes ? Il n'en était pas question. Ou je partais aux États-Unis, ou je me suicidais. Je n'avais pas le choix. L'idée de me supprimer n'était pas nouvelle. J'y avais pensé d'innombrables fois depuis qu'Antonia m'avait quitté. Bien sûr, j'avais un fils, sans doute le seul être qui me rattachait encore à ce monde impitoyable. J'aurais aimé le voir grand et américanisé, sans complexes et sans peurs. Lui était parti pour ne plus jamais revenir.

Le cognac m'avait sonné sans me calmer. J'en commandai un autre que je bus cul sec. Je venais de dépenser la somme de deux déjeuners. Le visa pour les États-Unis me coûtait aussi cher qu'une poule de luxe. L'idée de partir en Amérique avait fait disparaître un temps la dépression chronique qui me tenait compagnie depuis que j'avais atteint l'âge adulte, cette sensation d'inutilité qui rendait tous mes actes stériles. J'étais aujourd'hui à nouveau pris dans un filet de doutes et d'indécisions.

Je sortis du bar et marchai sans but précis. Il y avait un grand soleil et il faisait doux. Si j'avais obtenu mon visa, j'aurais trouvé cette journée magnifique. La chance était une pièce de monnaie qui tombait toujours du mauvais côté. Il n'y avait pas moyen de la faire tourner ou de changer mon karma.

Mon retour à l'hôtel fut une véritable excursion. Je pris la rue Sagárnaga, pleine de quincailleries et de magasins de tissu. Des commerçants arabes et juifs s'y côtoient sans drapeaux ni fusils, derniers représentants de la vague d'immigration qui a déferlé sur le pays avant la Seconde Guerre mondiale. Leurs boutiques, vieilles et sombres, n'ont jamais été rafraîchies, pas même par une nouvelle couche de peinture. Au milieu de la rue, on attire les touristes étrangers avec de l'argenterie ancienne, des objets en bois sculpté imitant des figures aymaras, des pulls et des ponchos en alpaga. On y vend aussi des herbes médicinales, des symboles de la sorcellerie indigène ; des fœtus de lama qu'il faut enterrer avant de construire sa maison, des amulettes, des pièces de monnaie anciennes... Un peu plus haut se trouve le fief des marchands de légumes et de fruits. Le tout est parfaitement délimité.

J'arrivai rue Illampú exténué, ralenti par une tachycardie provoquée par le cognac et la montée. Je m'adossai contre un mur en torchis qui cachait à peine une taverne, ou plutôt un repaire de pauvres hères et de putes. Des relents d'alcool me parvenaient de l'intérieur. Un mendiant chantait l'hymne de La Paz. Son visage violacé et couvert de cicatrices avait enflé sous l'effet des breuvages infects qu'on sert dans ce genre d'endroit. Je poursuivis mon chemin sans me presser, contournant les paniers de fruits. Grâce à Dieu, la rue Illampu n'est pas escarpée, chose rare dans cette ville toute en dénivelés.

Dans le hall de l'hôtel, le gérant jouait aux échecs avec un gros homme à la mine réjouie coiffé d'un étonnant borsalino, comme on en porte dans la région du Beni. Il s'agissait probablement d'un riche éleveur, de ceux qui prennent l'avion pour aller compter leurs bêtes dans leurs immenses haciendas des plaines à l'est du pays. Ils rentrent au bout d'une semaine, de l'argent plein les poches après avoir vendu une partie de leur cheptel, et passent l'hiver sur les hauts plateaux. Le gérant me regarda de travers, tentant de deviner dans quel état d'esprit j'étais. Je pris la clef de ma chambre et m'engageai dans les passages labyrinthiques pour gagner le second patio sans être pris de vertiges. Antonio s'était assoupi au soleil sur une chaise de paille. Son menton s'affaissait à un rythme régulier sur les revers de sa veste. Deux personnes lui tenaient compagnie : un homme de grande taille au regard enfantin et une fille prisonnière d'un corps masculin, aux cheveux outrageusement blonds. Cette incroyable apparition portait un peignoir rose de cabaret aux bords garnis de

54 glands. Sa peau était d'une pâleur impressionnante. Elle semblait l'entretenir avec soin car elle s'était enduit le visage d'une crème verdâtre qui lui donnait l'air d'une artiste de cirque.

Antonio se réveilla en sursaut et poussa un petit gémissement :

– Mes amis, je vous présente Mario Alvarez. Il est né dans la ville reculée d'Uyuni et vit à Oruro, qui n'est guère plus proche de nous.

Je les saluai.

– Monsieur Alvarez, enchaîna Antonio, laissez-moi vous présenter deux des hôtes les plus agités et les plus impopulaires de cet hôtel : M. Antelo, qui était autrefois le célèbre gardien de but du Chaco Petrolero et s'est maintenant reconverti dans la politique après s'être affilié au MIR*. Et voici notre bijou d'érotisme, Alfonso ou Gardenia, selon les circonstances. Le dernier larron n'est pas ici. C'est le meilleur vendeur de vins et de fromages de toute la ville, mais il quitte l'hôtel à sept heures du matin et ne rentre qu'après dîner. Il arpente La Paz avec une détermination toute germanique. Vous ferez bientôt sa connaissance.

L'ancien gardien de but du Chaco saisit ma main droite pour la serrer comme on tordrait un chiffon humide.

– Ravi de vous rencontrer. Je suis allé à Uyuni dans les années soixante-dix, quand notre équipe a fait une série de matchs amicaux à l'intérieur du pays. Nous avons gagné 6 à 0. À cette altitude, même les gardiens de but sont fatigués. Heureusement que ce n'étaient pas de bons joueurs.

* Le MIR (Movimiento de Izquierda Revolucionaria) était le parti au pouvoir en 1993, époque où ce roman a été écrit. Depuis les années soixante-dix, c'est l'un des partis politiques les plus importants en Bolivie. (*NdT*)

– Santa Cruz, la ville natale d'Antelo, lui manque beaucoup, expliqua Antonio. Nous espérons tous qu'il y sera nommé directeur des douanes. S'il décroche ce poste, nous remercierons son ange gardien.

L'ancien sportif souriait, ravi. Je me souvenais vaguement de lui. Il n'avait pas son pareil pour arrêter les balles hautes, mais était incapable de contrer celles à ras de terre. Lors des corners, il était si maladroit qu'il avait toujours besoin de l'aide d'un ou deux avant-centre. Et quand son équipe était pénalisée et qu'il désapprouvait la décision de l'arbitre, il sortait des buts et le bousculait. Il n'avait jamais arrêté un seul penalty : il partait toujours dans le mauvais sens.

– Un de ces jours, je rentrerai chez moi, murmura-t-il. Si je travaille aux douanes, je vous emmène tous.

– Vous n'avez pas l'air dans votre assiette, mon petit Alvarez. Qu'est-ce qui vous arrive ? me demanda Antonio.

– Je suis allé au consulat et j'ai tout fait foirer. Je n'ai pas eu le courage de me présenter à l'entretien, j'étais mort de trouille.

– C'est grave, souffla le vieillard. Vos papiers n'étaient donc pas…

– Il paraît qu'il y a des enquêtes. Ils ont des détectives qui fouinent dans les services municipaux et dans les banques.

– Qu'allez-vous faire maintenant ? demanda Gardenia.

– Je l'ignore. Tout ce que je sais, c'est que je ne veux pas retourner à Oruro. Tout sauf ça.

– C'était peut-être une fausse alerte, dit l'ex-gardien de but. Retournez-y.

– Il faut absolument que je puisse partir… J'ai déjà mon billet et j'ai mis quelques sous de côté pour ma première semaine en Floride.

– Quel âge avez-vous ?

– Quarante ans.

– Dans ce cas, ne vous obstinez pas. Il n'est pas facile de trouver du travail à cet âge-là dans une société aussi dynamique que celle des États-Unis. Quarante ans là-bas, c'est comme soixante-dix ici.

– Tout ça à cause de cette cochonnerie de cocaïne. Elle est maudite et bénie, conclut Antonio. Ils s'imaginent que nous sommes tous des trafiquants en puissance.

– Cette drogue est la croix que nous portons et le pilier qui nous soutient, dit Antelo.

– Le Che disait que c'était la bombe atomique du tiers-monde, renchérit Antonio. Ne vous en faites pas, Alvarez. Si vous me promettez de m'inviter à boire un chocolat chaud au café Verona, je vous confierai un secret que je n'ai révélé qu'à mes meilleurs amis.

– Marché conclu.

– Alors écoutez bien ce que je vais vous raconter. Il y a quelques mois, une prostituée des plus ordinaires est arrivée de Tarija. Elle disait être coiffeuse, mais en fait, elle exerçait le plus vieux métier du monde. Elle rêvait de s'installer à Washington et d'y monter un salon de coiffure pour les riches Latino-Américains. Elle est allée voir le consul, à qui elle a dû montrer ses jambes en lui promettant du bon temps, mais comme il est plutôt du genre quaker, il n'a pas cédé à ses avances et lui a refusé son visa. La pauvre en était toute retournée. Elle avait l'air d'un agneau qu'on mène à l'abattoir. Quand je l'ai croisée quelques jours plus tard, pourtant, elle exultait. Je ne l'avais jamais vue si heureuse. Elle m'a montré son passeport tamponné du sceau royal du consulat nord-américain. Elle m'a dit comment elle l'avait obtenu en me demandant de ne pas aller le crier sur les toits : une mystérieuse agence de voyages le lui avait délivré contre une somme dont j'ignore le montant. Selon elle, tout avait été fait légalement, car cette agence a des contacts au consulat. Elle est partie pour l'Amérique et je suis sûr qu'elle déjà dû épuiser plus d'un Latino-Américain. C'était une très jolie fille, gironde et bien nourrie. Elle n'avait jamais ouvert un livre de sa vie, mais elle était très maligne.

– Elle a dû épouser un Américain, dit Gardenia.

Il avait la voix de Marlene Dietrich.

– Vous savez où se trouve cette agence ? demandai-je.

– Dans un immeuble, près de la Maison de la culture. Je crois que cela s'appelle Turismo Andino ou quelque chose dans le genre. Allez-y, ils régleront votre problème.

– Comme si les États-Unis, c'était le paradis ! s'exclama Gardenia.

– Mario, dit Antonio d'un air moqueur, j'espère que les homosexuels ne vous donnent pas d'urticaire.

– Chacun est comme il est, répondis-je.

– Les gens d'Oruro sont très sympathiques, fit remarquer Antelo, d'un calme olympien.

– Ils sont exploités, pleins d'abnégation et rêvent depuis toujours d'avoir des égouts dans leur ville. À l'époque coloniale, les Espagnols ont pris l'argent de leurs mines pour financer leur absurde guerre des Flandres. Sous la République, l'argent et l'or ont permis au gratin bolivien d'aller à Paris et de mener grand train. Après la révolution de 1952, les mines ont enrichi les leaders syndicalistes et les riches bourgeois métis. Oruro a eu un destin ingrat.

– Pourtant, Antonio, vous avez été membre du parti qui a bien profité de ce système pendant plus de trente ans, lui fit observer Antelo.

– J'étais un idéaliste, corrigea le vieil homme. Je croyais naïvement aux idées révolutionnaires.

– Dites plutôt que vous étiez un tire-au-flanc qui dépensait son argent en tapant le carton, lui lança Antelo sans le ménager. Si vous aviez épargné ce que vous avez gagné pendant la révolution, vous seriez aujourd'hui retraité au Mexique.

– Vous avez une pension ? demandai-je, intrigué.

58

– Je suis un vieux diplomate à la retraite mais je n'ai pas fait le nécessaire pour toucher quoi que ce soit.

– Mais alors, de quoi vivez-vous ?

– De mes amis, dont vous faites désormais partie. Et aussi, de la vente de ma formidable bibliothèque. Tous les deux ou trois jours, Antelo ou Gardenia vend l'un de mes classiques. Je ne déjeune que trois fois par semaine, dans un restaurant bon marché. En revanche, je bois religieusement chaque jour mon chocolat accompagné d'un petit gâteau. Si je ne l'avais pas, je serais déjà six pieds sous terre, dans le caveau familial. De temps en temps, Gardenia m'invite à une de ses orgies. Je n'y participe pas sexuellement, mais je mange comme quatre. Et puis, une fois par semaine, notre cher négociant en vins m'offre un merveilleux fromage.

– Quel auteur allez-vous sacrifier aujourd'hui ? demanda Gardenia.

– Tourgueniev, le grand nihiliste, est le prochain sur la liste.

Antelo s'était éclipsé.

– Je vous parie qu'il est allé dépoussiérer ses vieilles photos, qui datent de l'époque où il était footballeur, déclara Antonio. Il va vous les montrer, vous pouvez en être sûr. Il va aussi vous faire lire les coupures de presse de l'époque. Dites… répondez-moi franchement : vous croyez qu'un ancien gardien de but peut devenir un grand politicien ?

– Comme gardien de but, c'était une catastrophe. La chance lui sourira peut-être en politique.

– Moi, je ne serais pas étonné qu'on le nomme directeur des douanes, dit Gardenia.

– Il a de bons contacts et une moralité à faire pâlir le grand braqueur qu'était John Dillinger. C'est un brave type, et sans attendre de miracles, ça nous arrangerait bien qu'on l'envoie à Santa Cruz. Il serait capable de nous fournir des emplois fictifs. Si c'était le cas, je prierais jusqu'à la fin de mes jours pour le repos de son âme, dit Antonio.

– Il est si mal fichu, le pauvre. Il marche encore comme un gardien de but, les jambes arquées. On dirait qu'il cherche constamment à attraper un ballon, pouffa Gardenia, une main devant sa bouche.

Antelo ne me laissa pas le temps de disparaître dans ma chambre. Il était déjà revenu, chargé d'un dossier volumineux.

– Votre heure a sonné, Alvarez ! Vous allez devoir écouter l'histoire de l'enfant prodige, du tournoi olympique jusqu'au jour où il a fait ses adieux à ses supporters dans le stade de Siles. Un vrai cauchemar… me prévint Antonio.

Antelo m'invita à m'asseoir sur le gazon clairsemé qui poussait tant bien que mal au milieu du petit patio entouré d'arbustes. Antonio n'avait pas exagéré. L'ancien gardien de but retraça toute sa carrière, depuis son premier coup de pied dans un ballon, sur le terrain sablonneux d'un petit village près de Santa Cruz, jusqu'à son dernier exploit : déjouer la feinte d'un joueur au teint mat appelé Gadea, qui tentait de se glisser dans la surface de réparation. La succession de photos était sidérante. Non seulement je les regardai, mais je dus en outre écouter les commentaires d'Antelo, qui s'exprimait comme un honorable député lisant un discours interminable devant les caméras. Il réussit à m'étourdir et c'est tout juste si je ne m'endormis pas.

– Alors ? Qu'est-ce que vous en pensez ?

– Il y a de quoi écrire une biographie. Vos supporters adore-raient connaître les détails de cette sympathique épopée.

– Vous voyez ? dit Antelo en s'adressant à Antonio. Je vous la dicte et vous l'écrivez.

– J'apprécie vraiment votre proposition, mais écrire sur le foot serait pour moi un véritable supplice. Je préfère encore être le confident du patron.

– Le confident ? demandai-je.

– Le patron de ce sacro-saint hôtel me convoque parfois pour que je lui lise des poèmes de Tamayo, Santos Chocano ou

Borges. Il a pris goût à la poésie à Buenos Aires. Il dit qu'il a été l'ami de Victoria Ocampo, mais je ne le crois pas. Chaque fois que nous nous voyons, il m'offre un chocolat et me donne dix pesos. Il a aussi demandé au rouquin d'être délicat quand il me remet ma note.

– Ma biographie rapporterait de l'argent, reprit Antelo.

– Tu t'enrichiras plus aux douanes, décréta Gardenia. J'espère juste que tu ne nous oublieras pas.

– Ce n'est pas mon genre, Gardenia. Je te jure que je t'emmènerai à Santa Cruz pour que tu continues ta vie de débauche là-bas.

– Moi, j'aimerais plutôt écrire la biographie de Gardenia, dit Antonio. Dans la journée, un garçon ingénu avec un visage d'enfant de chœur et, le soir venu, une Lolita érotique plus dévergondée que Caligula.

Gardenia éclata de rire en rejetant la tête en arrière et me lança un regard de geisha espiègle.

– Vous seriez surpris de le voir un soir, mon cher Alvarez. Même un masque du carnaval de Venise ne lui arrive pas à la cheville. Et quand les hommes s'aperçoivent de leur erreur, il est en général trop tard. Dès qu'il a bu deux verres, notre petit Gardenia est plus appétissant que le Tadzio de *Mort à Venise*, de Thomas Mann. Vous l'avez lu ?

– Non, mais j'ai vu le film.

– C'est un roman parfait, la prose sobre et élégante d'un Allemand raffiné.

– Comment savez-vous que Gardenia est appétissant ? le taquina Antelo. Vous, ces choses-là, vous vous en fichez, n'est-ce pas ?

– En dessous de la ceinture, je suis une statue de sel, mais j'ai une imagination débordante, répondit Antonio, hilare.

– Vous n'avez jamais rien écrit ? lui demandai-je.

– Il y a longtemps, j'ai commencé une nouvelle à faire froid dans le dos sur mon séjour forcé dans le stade de Santiago du

Chili, lorsque le général Pinochet m'y a emprisonné six mois. Je ne l'ai jamais achevée. Pour cela, il me faudrait du temps et une machine à écrire.

– Vous en aviez pourtant une récemment, lui rappela Antelo.

– Je l'ai vendue la moitié de son prix. Je vends tout ce qui me tombe entre les mains, c'est l'un de mes pires défauts.

– Il ne peut pas s'en empêcher, ajouta Gardenia.

– C'est une honte, je l'avoue. Je suis trop paresseux. Je ne me fie qu'à mon talent.

– Le talent ne suffit pas. Il faut travailler, déclara Antelo.

– C'est trop tard maintenant. Je devrais plutôt commencer à réfléchir à mon épitaphe.

Je consultai ma montre. Il était quinze heures. Je notai l'adresse de l'agence de voyages et pris congé du trio.

Le taxi me laissa devant la Maison de la culture. Je pressai le pas. L'immeuble, imposant, était entouré de commerces. Je demandai au concierge où se trouvait l'agence Turismo Andino.

– Dixième étage sur votre gauche, répondit-il d'un ton aigri. À sa grimace, on aurait pu croire qu'il souffrait d'un ulcère.

L'étage en question abritait de nombreux cabinets d'avocats et études de notaires. L'agence était au bout d'un couloir. D'un geste hautain, une secrétaire avec une coupe afro, des lunettes et un regard antipathique m'invita à patienter sur une affreuse chaise en plastique. D'ailleurs, à part la secrétaire, qui devait être en chair et en os malgré son allure clinquante, tout dans ce minuscule local était en plastique. Des dépliants touristiques, des billets et des stylos encombraient son bureau. Elle me lançait des coups d'œils distraits, ses yeux sans vie m'engageant malgré tout à entamer la conversation.

– J'aimerais obtenir un visa touristique pour les États-Unis, expliquai-je.

– Qui vous a donné notre adresse ? demanda-t-elle avec une indifférence affectée.

– Une amie de Tarija qui vit aujourd'hui à Washington. Elle est coiffeuse.

– Et que vous a-t-elle dit ?

– Que grâce à vos contacts au consulat vous étiez très professionnels, des experts pour délivrer des visas, et que vous vous préoccupiez des moindres détails.

– Votre amie vit toujours à Washington ?

– Bien sûr. Elle a même monté un magnifique salon de coiffure qui marche très bien.

– Et vous voulez un visa touristique ?

– Oui, pour un ou deux mois, pas plus. Mon fils vit en Floride.

Elle me scruta quelques secondes sans rien dire.

– Effectivement, il nous arrive de procurer des visas à des amis... Comment vous appelez-vous ?

– Alvarez. Je viens d'Oruro.

– Vos papiers sont en règle ?

– Oui, et j'ai aussi mon billet d'avion.

Elle se leva et frappa à une porte dont la partie supérieure, en verre dépoli, était encadrée d'aluminium. Dans l'entre-bâillement, je distinguai un gros type dans un fauteuil tournant derrière un bureau. Il avait tout de l'homme d'affaires accaparé par son travail. La secrétaire lui murmura quelques mots avant de sortir.

– Attendez un instant, me dit-elle.

Après quelques minutes, la voix du gros résonna dans le dictaphone. Il demandait à la femme de me faire entrer.

– Eduardo Ballón. Que puis-je faire pour vous ?

Je serrai sa main flasque et douce. À sa manière de ranger nerveusement les papiers éparpillés sur son bureau sans parvenir à rien organiser, j'eus le sentiment qu'il voulait jouer les surmenés. Il avait relevé les manches de sa chemise, son ventre semblait sur le point de faire sauter les boutons de son pantalon. Son visage en forme de poire n'était pas épargné par l'obésité : il avait un cou épais, des bajoues qui accentuaient la petitesse de sa bouche. Son nez avait tout d'un groin

et donnait l'impression que ses yeux renfoncés étaient minuscules. Il alluma un cigare.

– Bien, monsieur Alvarez. Alors, comme ça, une dame vous
a dit que nous pourrions vous aider…

– Oui, une amie coiffeuse qui vit maintenant à Washington.

Il cala son menton dans sa paume, le coude posé sur le
bureau, sans cesser de m'observer.

– Je ne me souviens plus d'elle.

– C'était une fille de Tarija très jolie, sensuelle, à la peau
très blanche, improvisai-je.

– Sensuelle ?

– Oui, elle avait de gros seins… du monde au balcon,
comme on dit.

– Ce n'est pas cette femme dont le consul a repoussé les
avances ?

– Si.

– On lui a délivré la carte verte.

– Je crois que oui.

– Et vous aimeriez bien la suivre, évidemment…

– Le plus vite possible.

– Vous êtes déjà allé au consulat ?

– Non. je suis venu directement ici. Je suis arrivé hier
d'Oruro.

– Montrez-moi votre passeport.

Il le feuilleta en pinçant son cigare entre ses lèvres, comme
un manutentionnaire.

– La coiffeuse ne vous a pas menti. Nous avons des contacts,
des amis qui, de temps en temps, nous aident à faire passer
les dossiers plus rapidement. Le visa ne pose aucun problème
quand tout est en règle, ce qui n'est généralement pas le cas.
Il suffit qu'un document ne soit pas à jour ou qu'il manque
une date sur un certificat. Vous comprenez ce que je veux
dire ?

– Parfaitement.

– Nos amis du consulat ont besoin d'être rétribués. Ils nous aident et, en échange, nous les aidons nous aussi.

– Combien ça coûte ?

– Huit cents dollars.

Il repoussa son siège en arrière et posa ses jambes courtaudes sur le bureau. Il dut remarquer mon expression horrifiée car il s'empressa d'ajouter :

– Si tous vos papiers sont en règle, il nous suffira de confirmer votre vol. Allez au consulat. Vous pouvez vous acquitter vous-même de toutes ces formalités, vous savez ?

– La somme que vous demandez pour accélérer les choses me semble trop élevée. J'ai tous mes papiers : l'acte de propriété de ma maison, mes relevés bancaires…

– Tant mieux pour vous. Dans ce cas, je le répète, allez au consulat. Ils examineront votre dossier et vous le rendront dans quelques jours. Si tout va bien, vous obtiendrez votre visa, sans quoi il ne vous restera plus qu'à faire comme tout le monde et à passer la frontière mexicaine.

– À pied ?

– Ou dans le coffre d'un coyote ! s'exclama-t-il en riant sans cesser de mordiller son cigare.

– Il paraît que c'est dangereux. Raymond Chandler disait qu'il n'y a rien de mieux qu'un bon Mexicain et rien de pire qu'un méchant Mexicain.

– Vous êtes libre de faire ce que vous voulez, monsieur Alvarez. Cette frontière n'est le territoire de personne. Il s'y passe des choses… disons… imprévues.

– Tout de même, huit cents dollars, c'est énorme !

– Cela dépend. Si vous ne voulez pas avoir à fournir de documents, c'est un prix raisonnable. N'oubliez pas, monsieur Alvarez, que les Américains sont tatillons. La moindre erreur peut vous être fatale. S'ils vous refusent un visa une fois, vous pouvez définitivement faire une croix dessus et vous n'émigrerez jamais.

66

– Mais je ne veux pas émigrer !

– Peu importe. C'est la première fois, n'est-ce pas ?

– Oui.

– Vous n'êtes ni vieux ni jeune. Vous avez l'âge limite. Si ça se trouve, le consul vous aura à la bonne… alors quel est votre problème ?

– J'ai peur qu'on ne veuille pas me délivrer mon visa pour une raison idiote, c'est tout. J'ai peur de ne pas pouvoir aller voir mon fils.

– Et la coiffeuse non plus.

– La coiffeuse, oui… un sacré beau brin de fille.

– C'est vous qui décidez, monsieur Alvarez.

– Huit cents dollars ?

– Ils risquent leur salaire même s'ils ne font que s'assurer que les documents ne se perdent pas dans une pile de dossiers ou qu'on ne les archive pas jusqu'à Noël. Ensuite, le consul les examine et y appose son cachet officiel.

– Et il n'y a pas de problèmes à ce moment-là ?

Le gros type sourit en écrasant son cigare dans le cendrier comme il aurait écrasé un cafard.

– Le visa est totalement légal. Nos contacts se chargent juste d'alléger les démarches bureaucratiques et d'éviter au passage que des détectives privés mettent leur nez dans ce qui ne les regarde pas.

– Et par le Mexique, ça me coûterait combien ?

– Moins cher, mais vous devrez prier pour qu'on ne vous vole pas et, pire, qu'on ne vous viole pas.

– Je préfère encore débourser huit cents dollars.

– Certains se moquent de leur virginité. Le tout, c'est de passer de l'autre côté. Pensez-y, monsieur Alvarez. C'est le prix à payer, ni plus ni moins. Cela peut valoir le coup, surtout si vous décrochez un emploi aux États-Unis et que vous restez là-bas. Adieu Oruro et bonjour la belle vie !

– Je vais y réfléchir.

– Je serai à La Paz jusqu'à vendredi. Après, je rentre chez 67
moi, à Vallegrande.

Il m'adressa un sourire de salaud sympathique.

Une fois dehors, je ne trouvai rien de mieux que d'entrer dans le premier tripot que je croisai. J'ai toujours eu la fâcheuse habitude de me soûler au moindre contretemps. Quand Antonia m'a quitté, je me rappelle avoir passé toute une année à traîner dans les bars. Un jour, un motard m'a renversé alors que je descendais du trottoir, ivre mort. J'ai repris connaissance à l'hôpital, en réanimation. Pendant quelques années, je n'ai bu que du café et des sodas, puis une intellectuelle m'a fait replonger dans l'alcool. Elle était professeur de biologie et arrosait ses plantes avec de la bière. Je ne buvais pourtant qu'occasionnellement, sans perdre le contrôle de mes neurones. Après une cuite, je gardais le lit pendant deux jours que je passais à vomir, avec une sale migraine pour couronner le tout.

J'entrai dans un bar gigantesque en sous-sol. On n'y servait que de la bière. L'odeur était si forte que j'avais mal au crâne rien qu'à la sentir. Il y avait une quarantaine de tables et guère de clients – il était encore tôt –, juste quelques habitués qui m'avaient tout l'air d'être des retraités ou des fonctionnaires, jouant aux dés au milieu d'une quantité impressionnante de demis. Le serveur, un homme mince au visage sinistre, m'escorta jusqu'à une table en retrait, sans doute réservée aux penseurs caverneux qui avaient de sérieux ennuis.

– Je vous en mets combien ?

– En général, je les bois une par une.

Il disparut. J'en profitai pour aller aux toilettes. Un buveur de bière prévoyant se doit de vider régulièrement sa vessie. Là, un homme aux cheveux blancs âgé d'une soixantaine d'années avait posé ses deux mains contre le mur et cherchait à viser la rigole qui faisait office d'urinoir. Son pénis pendait

68

hors de sa braguette, plus ridicule qu'indécent. Il était si soûl que, s'il avait malencontreusement retiré l'une de ses mains du mur pour orienter son sexe dans la bonne direction, il serait à coup sûr tombé par terre.

– Aide-moi, bordel !

Je n'étais pas d'humeur à jouer les bons Samaritains. Je me plantai à l'autre bout de la pièce. Le vieillard n'arrivait plus à faire le moindre geste. Il aurait dû être pris en photo.

– Vieux con, lâchai-je en sortant.

Une bière glacée m'attendait sur la table.

– Il faut payer d'avance, me dit le serveur.

– Vous ne faites pas confiance aux gens honnêtes ?

– Monsieur, protesta-t-il mollement, ce n'est pas la question, mais on nous arnaque tous les jours. Il y en a qui prennent au moins vingt bières et qui me disent ensuite qu'ils n'en ont consommé qu'une. Ils en boivent cinq et essaient toujours de négocier pour en payer une de moins. Alors maintenant, on fait payer d'avance.

Je réglai ma bière et me réfugiai dans mes pensées. Je ne présageais rien de bon. Au consulat, on ne tarderait pas à s'apercevoir que mes documents étaient faux. Le type de l'agence voulait m'extorquer huit cents dollars. C'était immonde. J'avais juste assez d'économies pour passer une semaine à La Paz, payer la taxe d'aéroport et vivre quelques jours aux États-Unis. Avant de quitter ce monde, mon père m'avait donné quelques pépites d'or qui pesaient une dizaine de grammes. « Elles portent chance, m'avait-il susurré. Elles vont se multiplier comme les pains de la Bible. » Je les avais gardées, mais le miracle ne s'était toujours pas accompli : cela faisait huit ans qu'elles pesaient le même poids.

J'éclusai rapidement ma première bière. Pourquoi ne pas me suicider ? Je boirais une vingtaine de bières puis je m'allongerais. Sûr que le lendemain, on retrouverait mon corps froid. C'était la seule mort que je méritais. La loi de la vie veut que celui qui tourne en rond cède sa place à un autre. Le monde est petit et les inutiles dans mon genre sont mieux au cimetière. Là, au moins, ils se taisent et attendent le Jugement dernier. Quelle faute avais-je commise ? Quand est-ce que tout avait dérapé ? Je m'étais posé cette question des milliers de fois.

Je suis né dans une famille de la classe moyenne. Mon père était fonctionnaire à la Bolivian Railway, ma mère la fille unique du propriétaire d'une petite mine d'étain très lucrative. Mon grand-père était riche, réactionnaire, égoïste et seul au monde : ma grand-mère était morte très jeune. Il n'a jamais approuvé que Flora, sa fille adorée, épouse un employé des chemins de fer. Il aurait préféré qu'elle fasse un riche mariage. Mon père détestait secrètement les Anglais et ouvertement mon grand-père, à tel point que pour desservir ses intérêts il s'est affilié au MNR*, alors progressiste et partisan de nationalisations que redoutaient les propriétaires terriens et les patrons des mines. Nous habitions Uyuni, important centre ferroviaire, où mon frère Osvaldo, de six ans mon aîné, a vu le jour. Je suis moi aussi né dans cette ville, en 1952, en même temps que la révolution et la nationalisation des mines qui a causé la ruine de ma famille.

À cette époque, mon grand-père s'était installé dans un quartier huppé de Santiago avec une jolie Chilienne sans prétentions. Loin de se douter que les Indiens pourraient un jour vouloir améliorer leur triste sort en s'appropriant les terres, puis les mines, il avait dilapidé son argent en organisant de somptueuses réceptions et des séjours à Paris. Il ne s'est pas découragé pour autant quand l'argent a manqué et s'est fait

* Depuis 1952, le MNR (Movimiento Nacionalista Revolucionario) a souvent été au pouvoir. (*NdT*)

engager comme maître d'hôtel dans un restaurant du centre de Santiago, rue Huérfanos.

De son côté, mon père a bénéficié de la nouvelle donne politique. Il a démissionné de son poste d'inspecteur de la Railway pour se lancer dans l'importation de farine. C'est alors que nous avons déménagé à Oruro. Quelques mois plus tard, ma mère est morte sans que nous sachions au juste ce qu'elle avait. Pour nous, c'était une véritable tragédie. C'était une femme dévouée, peu bavarde et casanière. Elle ne brillait pas par sa beauté, mais avait des traits délicats et distingués, beaucoup d'éducation et un cœur d'or. Elle n'avait connu qu'un seul homme dans sa vie.

Mon père, Jacinto, était robuste. Il avait le teint pâle, des moustaches de bûcheron et un visage sérieux. Des yeux sombres, sensuels et juvéniles. Après la mort de ma mère, il n'a pas perdu son temps, étant encore jeune et beau ; il s'est empressé de se mettre à la colle avec une petite couturière qui avait les plus jolies fesses de la région et quinze ans de moins que lui. Ils se sont installés dans leur petit nid d'amour, nous laissant seuls, Osvaldo et moi, dans la vieille maison. Osvaldo ne perdait jamais une occasion de contredire mon père : il s'est inscrit à la Phalange socialiste bolivienne, qui s'opposait alors au MNR, s'est fait passer à tabac, a été emprisonné, est resté un mois dans un cachot pour finir exilé au Chili. Il a monté à Antofagasta une boulangerie avec le soutien financier d'une Péruvienne éperdument amoureuse de lui. Mon frère était la réplique, en brun, de mon père. Il était violent et alcoolique, ce qui devait fasciner sa femme, car elle lui a donné cinq enfants. Il y a huit ans, quand je l'ai vu à Arica, il avait vendu sa boulangerie et travaillait dans le bâtiment. Je l'ai trouvé changé et peu communicatif. Nous avons dîné une ou deux fois ensemble. Il s'était détourné de la politique pour s'intéresser exclusivement à l'argent. Il m'a mollement

demandé des nouvelles de mon père et m'a dit qu'il ne retour-
nerait plus jamais en Bolivie.

En 1964, le général Barrientos a pris le pouvoir, mettant un terme au printemps révolutionnaire. Mon père a alors perdu tous ses contacts au sein du gouvernement, dont les membres du MNR ne faisaient plus partie. Du jour au lendemain, Jacinto est devenu un chômeur et un pauvre vieillard revanchard. Sa jeune maîtresse l'a quitté pour un lieutenant à l'avenir promet- teur. Moi, j'étais au lycée Bolivar, le meilleur établissement d'Oruro. J'étais un élève studieux et très imaginatif. Le nouvel « ordre » militaire ne nous avait pas fait de bien : membres d'une classe moyenne opportuniste, nous avions sombré dans la misère en un rien de temps. Mon père avait oublié comment gagner de l'argent à la sueur de son front. Comme mon grand- père, il n'avait rien mis de côté. Il a finalement trouvé un emploi dans une société importatrice de pneus.

Il gagnait peu et buvait beaucoup. N'ayant plus les moyens de séduire les jolies filles, il couchait avec les putes indiennes des bas quartiers de la ville et passait ses week-ends à jouer aux échecs et à prendre des bains de soleil. Entre-temps, ayant appris que ses ennemis n'étaient plus au pouvoir, mon grand-père, qui allait alors sur ses quatre-vingts ans, s'était mis en tête de retourner au pays pour réclamer sa mine. La malchance a voulu qu'à peine monté dans le train, à Río Mulatos, il ait eu une attaque. Il est mort à l'hôpital du village et a été enterré au cimetière local.

J'ai décroché tant bien que mal mon baccalauréat, ce qui a arraché quelques larmes à mon père, qui espérait que je devienne médecin ou ingénieur. Quand je lui ai annoncé que ma vocation était d'enseigner, il est tombé en dépression. Son état n'a fait qu'empirer lorsque je lui ai présenté Antonia, qui était inscrite à l'École normale. Elle voulait être professeur d'espagnol, et moi, d'anglais. Cette langue me fascinait depuis que j'avais vu Leslie Howard dans un film.

Nous avons tous deux obtenu notre diplôme. Après notre première année d'apprentissage, dans des écoles de campagne, nous avons fait un mariage modeste, mais joyeux. La fête était organisée chez un ami qui nous avait prêté sa maison. La soirée a commencé tranquillement, mais certains l'ont finie au poste de police. Le père d'Antonia était employé de banque : il nous a prêté deux mille dollars qui nous ont permis de nous acheter une maison de poupée dans le quartier de Chiripujio. Quatre pièces, une salle de bains et un jardinet de cinq mètres carrés où j'ai planté quelques rosiers. J'ai également investi dans une bicyclette. Je m'acquittais de mon travail avec passion et j'avais foi en l'avenir. Nous vivions chichement, mais notre situation n'était pas désespérée. J'avais une santé de fer, une femme travailleuse et beaucoup d'amis. Avec nos deux salaires, nous parvenions parfois à mettre un peu d'argent de côté. Nous rêvions de nous installer à Córdoba, en Argentine, et collectionnions des dépliants touristiques, des coupures de journaux et des lettres de connaissances qui nous parlaient de cette belle ville au climat agréable.

Luis Alberto Carlos, notre fils, est né au bout d'un an de mariage. C'était un braillard qui avait la peau nacrée et les cheveux noirs de ma femme. Antonia était belle, douce et discrète. De jour, je ne l'entendais jamais avoir un mot plus haut que l'autre. Il en allait autrement la nuit. L'imagination sans doute débridée par les années qu'elle avait passées dans une école religieuse, elle me surprenait par ses jeux amoureux. Je vivais peut-être dans un pays pauvre, instable et difficile, mais je ne pouvais pas me plaindre. Je coulais des jours heureux, j'avais peu d'argent, mais beaucoup d'espoir.

Mon unique préoccupation, alors, était mon père. Il traversait une phase neurasthénique. Il était devenu irritable, hurlait pour un rien. Un jour, il s'est plaint d'avoir perdu sa

virilité. Je l'ai rassuré en lui disant qu'il lui suffirait peut-être
de prendre quelques stimulants.

Mon fils grandissait, joueur et débordant de santé. Au bout
de quatre ans, j'ai pu m'acheter une moto et rendre ainsi mes
voisins jaloux. Comment est-ce que tout cela a dégénéré ? Je
me rappelle juste que ma femme était constamment
enrhumée et qu'un jour il a fallu l'emmener à l'hôpital à cause
de la fièvre et des quintes de toux. Le médecin lui a trouvé une
tache au poumon. C'était sans gravité et elle guérirait avec un
peu de repos, mais elle n'a pu reprendre son travail. En fait,
elle ne pouvait rien faire. Dès qu'elle s'agitait, les symptômes
réapparaissaient : fatigue, sueurs nocturnes et une toux aussi
persistante qu'une fuite dans une gouttière. J'ai dépensé
toutes mes économies en médicaments, je me suis endetté et
j'ai commencé à boire plus que de raison. Le pays allait mal,
comme toujours. Puis l'état d'Antonia s'est amélioré et je l'ai
envoyée chez une tante qui tenait une épicerie à Tupiza, où
l'air est plus doux. Elle a repris du poids et des couleurs et est
devenue très jolie. Elle a également retrouvé son sens de
l'humour.

Le problème, c'est que sa tache au poumon a disparu en
même temps que son amour pour moi. Au début, elle ne voulait plus que je la touche parce qu'elle se sentait trop faible.
Ensuite, elle a prétendu avoir besoin de temps pour se réhabi-
tuer à moi. Pour finir, elle m'a avoué qu'elle ne m'aimait plus.
Tout simplement. Mes caresses étaient devenues un véritable
supplice. J'étais trop bête pour m'apercevoir qu'Antonia était
éprise d'un autre, un politicien de la nouvelle génération ou
de la nouvelle droite, ce qui revient au même, un lèche-bottes
à la solde des militaires, qui avait été un syndicaliste opportuniste et était désormais le conseiller des militaires. Pendant
que j'enseignais l'anglais à des paresseux dans une école
publique, elle passait ses après-midi avec ce type qui roulait
sur l'or. Je n'ai pas eu le courage de la mettre dehors car

notre fils était encore petit. J'ai donc supporté cette affreuse situation en me berçant de l'illusion qu'Antonia se lasserait de son amant, qu'il m'arrivait de croiser en ville en compagnie d'autres politiciens, des rustres, des brutes épaisses et vulgaires. J'ai songé à m'acheter un revolver et à lui tirer une balle dans la tête, mais le tuer n'aurait rien résolu. Je serais allé en prison, abandonnant mon fils, et Antonia aurait trouvé un autre homme.

J'ai donc commencé à fréquenter les bordels, jusqu'au jour où j'ai eu des écoulements suspects dont seul un médicament commandé en Allemagne a pu venir à bout. J'étais un cocu conscient de mon sort, bonne pâte et toujours amoureux de sa femme. Mon salaire ne suffisait plus à nourrir la famille. Il m'a fallu renoncer à la langue douce et précise de Keats pour me lancer dans la contrebande, une activité peu recommandable, mais qui me rapportait trois fois plus que mon métier d'enseignant.

Pourtant, même ainsi, je n'ai pu regagner l'amour d'Antonia. Elle faisait chambre à part. Que j'aille voir ailleurs la laissait parfaitement indifférente. Un jour, elle m'a annoncé qu'elle partait en Argentine pour réfléchir à son avenir, à sa condition de femme et autres imbécillités du même genre. Elle a dit au revoir à notre fils en l'embrassant sur le front et m'a serré la main. Je ne l'ai plus jamais revue. Des années plus tard, j'ai appris qu'elle vivait à Mendoza, avec un homme qui vendait des *empanadas* sur la route qui mène au Chili. J'ai reçu une fois à Noël une photo d'elle au bord d'un lac. La pauvre femme voulait me montrer à quel point elle s'était retrouvée. J'étais prêt à parier qu'elle avait découvert une fille sans grande moralité, un peu péquenaude et totalement vide. Luis Alberto Carlos a grandi et n'a pas tardé à me dépasser d'une tête. C'était un beau garçon brun et calme. Je lui avais tellement bourré le crâne avec Antonia qu'il n'éprouvait plus rien pour sa mère. Il a brûlé ses photos et a décrété que, pour lui, elle 75 était morte.

À dix-huit ans, son baccalauréat en poche, il m'a fait part de son idée absurde d'aller au Canada. Il y est presque arrivé. Par ailleurs, un de mes cousins, du côté de ma mère, avait épousé une Américaine et possédait un magasin de fourrures à La Nouvelle-Orléans. Il est venu passer des vacances à Oruro et a trouvé mon fils sympathique. Il m'a conseillé de lui faire quitter la Bolivie, où il n'avait aucun avenir. Si je voulais lui réserver un meilleur sort que le mien, il ne voyait aucun inconvénient à embaucher Luis Alberto Carlos comme assistant pour lui apprendre le métier. S'il avait envie de poursuivre ses études, il aurait un peu de temps et d'argent devant lui. Ce projet ne m'a pas fait bondir de joie, mais c'était une solution pour que mon fils s'en sorte.

Il était mon compagnon, mon ami et même parfois mon confident. Notre relation se fondait sur le respect mutuel, même si je ne pouvais guère lui apporter de soutien financier. Le mot « contrebande » est romantique et évoque toutes sortes de richesses. Si les investisseurs et les vendeurs gagnent bien leur vie, la réalité est tout autre pour les simples passeurs qui empochent dix pour cent et payent leurs frais sur ces maigres sommes.

J'allais rester seul comme un curé dans un village andin. J'ai pourtant laissé mon fils partir, pensant qu'il valait mieux tout miser sur le rêve américain. Comme Borges, j'avais toujours eu un faible pour les Anglo-Saxons, pas tant pour les ressortissants de la perfide Albion que pour les Nord-Américains, dont j'adorais la littérature policière.

Le fourreur a eu son assistant. Quant à mon fils, il a promis de m'écrire régulièrement et de m'envoyer un billet d'avion dès qu'il aurait mis quelques sous de côté. À l'époque, il n'était pas si difficile d'obtenir un visa, et je ne pense pas que mon cousin ait eu autant de problèmes que moi. Malgré sa promesse, Luis

Alberto Carlos m'a laissé sans nouvelles pendant trois mois, puis j'ai reçu une lettre qui ressemblait à un testament : quatre pages couvertes d'une écriture serrée. Il avait quitté La Nouvelle-Orléans car mon cousin l'exploitait et lui versait un salaire de misère. Le fourreur était donc un escroc. Luis Alberto Carlos s'était ensuite rendu à Chicago, où il avait travaillé dans une station-service, puis dans un hôtel. L'hiver y était glacial ; le vent lui cinglait le visage. La gérante de l'hôtel, une vieille Arménienne qui sentait la saumure, avait voulu le mettre dans son lit. Il avait dû traverser les États-Unis jusqu'à Miami, paradis tropical peuplé d'hispanophones extravagants.

Six mois ont passé avant que je reçoive sa deuxième lettre. Deux pages, dans lesquelles il m'apprenait qu'il avait commencé des études de gestion tout en travaillant dans un restaurant de fruits de mer. On lui donnait de gros pourboires et ses collègues n'avaient pas de préjugés contre lui. J'ai encore eu de ses nouvelles six mois plus tard. Il avait réussi les examens du premier semestre et on l'avait promu chef de rang. Il ne faisait que servir de la soupe de crevettes à de gros poissons qui avaient l'air d'être des voyous. La quatrième enveloppe ne contenait aucune ligne de sa main, juste un billet d'avion. La même semaine, il m'annonçait en quelques phrases dans sa cinquième lettre qu'il m'avait trouvé un emploi dans un établissement de Miami appelé *The House of Pancakes*. Il me conseillait de falsifier tous les documents nécessaires à l'obtention de mon visa. En post-scriptum, il disait ne pas avoir d'adresse fixe, mais ajoutait qu'il me retrouverait au restaurant où il m'avait déniché une place. Il y passerait une fois par semaine et espérait m'y voir. C'était tout. Mon fils était fou à lier, et moi, j'étais né sous une mauvaise étoile.

– Une autre ? me demanda le serveur.

Je me levai une deuxième fois pour aller me soulager. Les
ivrognes qui avaient maintenant envahi le lieu tâchaient de ne
pas s'uriner les uns sur les autres. Je pris conscience que je ne
pouvais plus avaler la moindre gorgée de bière sous peine de
ne plus savoir où j'habitais. Il fallait que je sorte d'ici.

– Tout est payé, merci ! s'exclama avec emphase le garçon
quand je passai la porte. À force de courir de table en table, il
devait perdre un kilo à la fin de chaque journée de travail.

L'après-midi avait changé de couleur. Le soleil s'était caché
derrière une mer de nuages gris qui recouvrait la ville d'une
chape de plomb menaçante.

Bien éméché, je rentrai directement à l'hôtel. Je dormis deux
heures, puis je pris une douche pour me réveiller. Vers dix-neuf
heures, je descendis dans le hall. J'avais le moral à zéro. La
douche m'avait fait reprendre contact avec la triste réalité et
mes problèmes insolubles. Je croisai Blanca dans sa tenue de
tous les jours, un T-shirt et un jean. Non maquillée, elle avait
l'air fraîche et juvénile. Sa sensualité paillarde et terne de la
matinée relevait du passé. Sans ses atours de prostituée, elle
était différente, rajeunie de cinq ans. Son petit air blasé, son
dégoût existentiel avaient déserté son visage.

– Comment ça s'est passé ? me demanda-t-elle.

– Mal.

– Tu as une haleine de chacal. Tu as bu ?

– Oui, de la bière. Je voulais voir si l'alcool éclairait ma lan-
terne, mais tout ce que j'ai gagné, c'est une bonne migraine. Il
me faut de l'aspirine.

– Je sors dîner dans un restaurant chinois. Tu viens avec
moi ?

Il est des regards que seules les femmes peuvent lancer.
Celui de Blanca signifiait qu'il pouvait exister davantage entre
nous qu'une partie de jambes en l'air. Nous nous engageâmes
dans la rue Evaristo Valle, où les vendeurs se préparaient à
gagner la place San Francisco. C'était l'heure de la sortie des

bureaux. Dans mon enfance, quand j'allais à La Paz avec mon père, cette place valait le détour et rappelait une splendeur coloniale dont j'étais fier. C'était un magnifique joyau tout en austérité, entouré de grilles protégeant un petit jardin romantique et désuet conçu au XIXe siècle. Des urbanistes de pacotille avaient détruit ce havre de paix pour le remplacer par une esplanade gigantesque et froide où se rassemblaient à toute heure des évangélisateurs, des groupes de rock, des vendeurs ambulants, des mendiants, des ivrognes, des guérisseurs et des clochards. Un sculpteur excentrique y avait érigé plusieurs statues de pierre dont la signification n'était pas évidente, mais qui rappelaient un décor miteux de plateau de cinéma. Avec acharnement et une bonne dose de stupidité, la municipalité avait concocté là une énigme destinée à intriguer les touristes étrangers. L'église avait perdu de sa magie et de sa majesté.

Les rues étroites autour de l'ancienne poste nous conduisirent devant un restaurant chinois bon marché comme on en trouve beaucoup à Lima. Les patrons connaissaient Blanca : ils nous installèrent à une table avec une amabilité toute asiatique. Tandis qu'elle lisait le menu, je commandai un thé au jasmin et me levai pour acheter un paquet de cigarettes au comptoir. Un type profita de ma courte absence pour engager la conversation avec Blanca.

– Je ne sais pas qui c'est, me dit-elle. Il ne dit que des conneries. Il est complètement rond.

Il avait effectivement le regard vitreux.

– Je suis pilote, finit-il par lâcher.

– Excusez-moi, mais je crois que cette dame est avec moi.

– Tu es qui, toi ?

– Son petit ami.

Il vacillait comme s'il avait été à bord d'un chalutier en haute mer.

– Je suis pilote, répéta-t-il d'un air plein de défi.

– Fiche-nous la paix, on s'apprêtait justement à décoller.

– Comment elle s'appelle, cette fille ?

– Eva. Eva te faire foutre.

Blanca éclata de rire. L'homme me soufflait son haleine dans la figure.

– Je reviendrai un autre jour. À jeun...

Il partit, laissant flotter derrière lui des effluves de pisco. Blanca regarda autour d'elle avec indifférence.

– Chaque fois que je viens ici, je vois de nouvelles têtes. Je parie qu'ils ne font que passer en Bolivie et qu'ensuite, ils partent aux États-Unis.

– J'aimerais bien qu'ils me donnent la formule pour y arriver.

– Ils s'entraident et trouvent toujours une combine.

Une Chinoise portant une jupe qui laissait voir ses jambes arquées et musclées posa sur la table une grande assiette contenant un mélange à base de poisson, de poulet et de couennes de porc grillées à la sauce aigre-douce. Le tout accompagné d'une bonne quantité de riz frit.

– Tu crois que tu auras assez de calories ? lançai-je en plaisantant.

– Avec la vie que je mène, j'ai intérêt à bien me nourrir. Sinon, je suis fichue au bout d'un mois. Toi, les Américains t'ont coupé l'appétit. Il n'y a vraiment pas moyen d'obtenir ce visa ?

– Si, en déboursant huit cents dollars en liquide.

Je lui racontai ma visite à l'agence. Elle ne parut pas surprise.

– Il y a des magouilles partout, même au consulat des États-Unis.

– Mais tout est légal, rétorquai-je. Ils ne font qu'accélérer la procédure.

Elle me dévisagea comme si j'étais un pauvre idiot.

– Tu veux venir avec moi à Villa Fátima ?

– Je n'ai rien de mieux à faire pour le moment.

– Comme ça, tu me verras travailler. Je suis la meilleure.

Elle leva ses yeux aux longs cils vers moi et m'étudia d'un air moqueur.

– Prends au moins une bière. Tu ne vas pas t'arrêter sur ta lancée.

Dehors s'éleva la sirène d'une voiture de police . Ils devaient probablement essayer de se frayer un passage dans les embouteillages.

– Où est ta femme ? me demanda soudain Blanca.

– En Argentine. Écoute, je ne vais pas m'étaler sur cette histoire. Elle a pris le train et elle est partie, voilà. Avant, je rêvais tout le temps d'elle. Maintenant c'est fini. Mes rêves sont aussi noirs que mes nuits.

– Les Argentins sont beaux. Seulement, une fois qu'ils t'ont plumé, ils vont voir ailleurs.

– Et toi, tu n'as personne ?

– Je n'en ai rencontré aucun qui mérite le détour, mais je ne désespère pas. Je me débrouille toute seule. Les types qui viennent à Villa Fátima sont tous des Indiens pas très raffinés. Il n'y a pas un seul Blanc.

Je glissai une main le long de ses cuisses robustes.

– Tu vas faire rougir les Chinois.

– Tu parles ! Ça fait des milliers d'années qu'ils sont pâles.

– Ils viennent parfois à Villa Fátima. Les Coréens payent bien mais ils sont très spéciaux. Ils aiment marchander, ça les excite.

Blanca mangeait comme un camionneur. Elle ne laissa pas le moindre grain de riz dans son assiette. La bière avait estompé ma migraine et je cessai de penser au visa. Elle commanda un étrange dessert à l'anone et au chocolat, un véritable étouffe-chrétien. Elle fit passer le tout en buvant trois tasses de thé au jasmin.

– Après un gueuleton pareil, ce serait bien d'aller marcher
un peu. Tu ne vas pas prendre froid ?

– Moi ? Si tu voyais comme je m'habille pour travailler !

Elle régla l'addition. Le patron du restaurant, un Chinois obséquieux qui avait un sourire cynique à la Fu Man Chu, nous proposa une cigarette alors que nous nous apprêtions à sortir. Nous marchâmes en silence avenue de l'Ejército. Des nuages ambrés voilaient légèrement la ville. Nous fîmes une halte à *Las Velas*, une cantine populaire en plein air. Le vent se leva et il se mit à pleuvoir, puis à grêler. Un véritable fléau tombé du ciel s'abattait sur le quartier de Miraflores. Les gens couraient. Nous montâmes dans un autobus qui allait à Villa de la Merced.

Le bruit de la grêle sur le toit du véhicule était assourdissant. Blanca riait comme une collégienne. Dans les caniveaux, de petits ruisseaux s'étaient formés, descendant vers le sud. Le chauffeur eut du mal à fermer la portière, à croire que son véhicule était devenu amphibie. Blanca était debout à côté de moi. Je sentais la tiédeur de ses fesses contre mon bassin. Elle me lançait par-dessus son épaule des regards ironiques de femme avertie. L'autobus, une vieillerie des années soixante-dix, se mit à avancer péniblement, son conducteur pestait en aymara et en espagnol. Personne n'osait descendre. L'eau couvrait les jantes et risquait de noyer le moteur. Il nous fallut une heure pour gagner les quartiers chauds de la ville. Là, cinq prostituées descendirent.

L'orage cessa, mais pas la pluie. Villa Fátima était une zone déserte et sombre qui me rappela Oruro dans ses pires jours. Blanca s'approcha d'une échoppe où l'on vendait de la nourriture et salua une femme qui avait au bas mot vingt ans d'expérience dans le plus vieux métier du monde. Son visage, très maquillé, était un masque triste de carnaval. Elle m'observa de la tête aux pieds. Elle ne connaissait pas Oruro, mais avait travaillé à Caracas, dans un club où les femmes amusaient les clients avec des danses exotiques. Elle mangeait une soupe dans laquelle nageaient des pâtes et des pommes de terre.

Blanca s'acheta un chewing-gum. Nous descendîmes une ruelle suicidaire débouchant sur un ravin au fond duquel s'entassaient des ordures. Devant la porte du bordel, un videur me salua avec méfiance. Le lieu de travail de Blanca était une grande maison manifestement construite pour le genre de commerce qui s'y tenait. Elle était dotée d'un grand patio et d'une piste de danse qui donnait sur de nombreuses chambres. L'endroit devait avoir un certain standing car je ne remarquai aucune Indienne parmi les prostituées. Une vingtaine de types, adossés aux murs, les mains dans les poches, les regardaient.

– Ils viennent tous les jours, m'expliqua-t-elle. Ils restent là pendant des heures, sans bouger. Ils ne dépensent rien. Ce sont des voyeurs.

L'entrée de Blanca causa un peu d'agitation chez les clients du Faro. C'était le nom de cet établissement nocturne.

– Je vais me changer, annonça-t-elle. Tu peux m'attendre dans la salle.

L'endroit était stratégiquement éclairé par des ampoules de couleurs, à l'avantage des filles qu'on ne voyait que partiellement dans cet éclairage tamisé. En plein jour, elles auraient probablement fait fuir certains hommes. Devant l'un des murs s'élevait une estrade destinée à accueillir un groupe. J'y distinguai un orgue, une batterie, trois guitares électriques et un micro. Les musiciens, qui portaient d'affreux costumes bleus, branchaient leur matériel. Le chanteur n'était guère plus grand qu'un jockey et avait une tête de Mexicain imbu de sa personne. Il siffla dans son micro pour faire un essai de son. Au milieu de la salle, cinq filles s'étaient rassemblées autour d'un chauffage à gaz. Les autres entraîneuses s'entassaient dans le fond, près d'une petite ouverture par laquelle arrivaient les consommations. Derrière un petit comptoir, une vieille sorcière

ridée, qui fumait nerveusement en esquissant un rictus dédaigneux et aigri, surveillait ses pupilles : la mère maquerelle. Elle
notait chaque commande dans un registre et donnait ses
ordres à deux serveurs en veste verte. Elle gérait ses affaires
avec le sérieux d'une bibliothécaire. Rien ne lui échappait.

Lorsqu'une fille accrochait un client, elle lui tendait un ticket
en échange de dix pesos, sans doute le prix de la chambre.
Jamais très loin se tenait un videur chargé de faire sortir les
ivrognes et d'arbitrer les bagarres. Il sirotait une bière. C'était
une véritable armoire à glace, un mélange surprenant
d'Aymara et de Noir. En voyant Blanca entrer avec un inconnu,
il ne se montra pas particulièrement sympathique. Il songeait
peut-être que je voulais ma part de gâteau.

Je passai les filles en revue : il y avait de tout. Leur uniforme
se limitait à un bikini ou à une minijupe qui laissait voir leur
string. Elles criaient, riaient, arpentaient la salle en martelant
le carrelage de leurs talons.

Blanca réapparut quelques instants plus tard en tenue de
combat : cuirasse de gaze transparente et short très moulant.
Elle s'était maquillée selon le goût et la sensibilité de la clientèle. Elle était de loin la plus sexy. Peut-être pas la plus jolie,
mais aucune des autres filles ne pouvait rivaliser avec elle en
matière de volupté tropicale.

Elle me rejoignit et commanda une bière.

– Alors, qu'est-ce que tu en dis ?

– Je trouve qu'en vingt ans, les bordels n'ont pas beaucoup
changé. À Oruro, je fréquentais déjà un endroit aussi sombre
et froid que celui-ci.

– Ce n'est peut-être pas le plus chic, mais je préfère travailler ici que dans le centre-ville.

– De toute manière, dans le sexe au prix de gros, c'est la
quantité qui compte, lui fis-je observer tandis que l'orchestre
attaquait une lambada.

– Oui. Tout dépend du temps que tu passes avec un client. En général, ils sont jeunes et déjà excités. Il suffit de les caresser un peu et le tour est joué. Je fais juste un peu de cinéma pour qu'ils aient l'impression de se sentir plus virils.

– Et votre patronne, c'est une ancienne pute ?

– Elle a le cancer. Enfin, il paraît. Si ça se trouve, elle a fait courir ce bruit pour qu'on aie pitié d'elle…

– Et le videur ?

– Elle l'a ramené du Pérou. Il sniffe de la coke toute la journée. Son dealer arrive vers minuit. Il a d'autres clients, ici. Ma patronne, par exemple. Elle dit que la cocaïne l'aide à supporter la douleur.

– Elle a peut-être le cancer. Après tout, elle n'a pas l'air bien en forme.

– Qui sait ? Tu veux aller dans ma chambre ?

– Avec ce froid ? Non merci. Quand tu auras fini, tu n'auras qu'à me retrouver à l'hôtel.

– Ça ne te dérange pas si je commence à travailler ?

– Non, je vais rester un moment, je ne voudrais pas rater la prestation des musiciens, lâchai-je d'un ton ironique.

Une vingtaine d'yeux suivirent le déhanchement séduisant de Blanca. Un jeune type à l'allure militaire l'aborda, puis la suivit dans le patio après une brève conversation à voix basse. La clientèle se composait pour la plupart de soldats, d'ouvriers et de petits truands, autrement dit d'hommes qui ne pouvaient guère investir plus de vingt pesos dans la bagatelle. Blanca m'étonna. En une heure, tandis que je buvais au bar, elle s'enferma avec six hommes. Elle ne perdait pas son temps. Elle évitait les ivrognes et les adolescents, mais tous les autres faisaient l'affaire. Sa gentillesse, sa simplicité et son aménité permettaient probablement à ces paysans émigrés en ville d'oublier leurs complexes. Les femmes blanches leur étaient inaccessibles en temps normal, mais le marasme économique obligeait les prostituées à travailler dans des bordels

à vingt pesos la passe. Malgré la récession, les déshérités
n'avaient pas tout perdu.

Vers vingt-trois heures, Blanca se changea. Elle n'avait plus
pour tout vêtement qu'un soutien-gorge, un bikini et des bas.
Ses talons aiguilles rendaient sa démarche encore plus sug-
gestive. Elle travaillait à un rythme impressionnant qui ne
semblait pas la fatiguer le moins du monde, effectuant de
constants va-et-vient entre sa chambre et la salle, ne s'interrompant que pour se recoiffer ou mettre du rouge à lèvres.
L'idée qu'elle avait eue de m'inviter à la voir en pleine activité
était une façon subtile de me faire envisager un avenir pro-
metteur à ses côtés. Si je n'avais pas eu l'intention de partir,
j'y aurais réfléchi à deux fois. Elle était belle et rapportait
autant qu'une machine à sous. En outre, elle ne payait pas
d'impôts. Il fallait juste qu'elle évite d'attraper le sida ou des
maladies vénériennes. C'était le prix à payer, mais rien n'est
jamais gratuit dans ce monde.

Quand elle sut que j'allais bientôt partir, la mère maquerelle
voulut faire ma connaissance. Ses doigts pâles me tendirent un
gobelet en plastique rempli de cognac chilien. Le videur, qui
n'avait manifestement pas encore reçu sa dose de cocaïne, me
serra mollement la main. Il s'appelait Tolque et sentait l'eau de
Cologne à plein nez. Plus loin, assise à une table, la sœur de la
patronne, une femme âgée et terne, faisait les comptes en
tirant exagérément la langue. Un vrai lézard. Au fil des heures,
les lieux se peuplèrent de noctambules. Ils prenaient un verre
et regardaient les filles sans piper mot, laissant leur esprit
vagabonder. À minuit, après avoir éclusé cinq ou six bières, je
décidai de rentrer.

Il faisait un froid andin. Le déluge menaçait à nouveau.
Quelques étoiles se dispersaient dans le ciel et le vent agitait
les arbres en haut des collines. Villa Fátima se trouve au
milieu d'un ravin entouré de collines arides. Des maisons de
plain-pied sont construites çà et là entre les bordels. Au loin,

j'entendais le murmure d'un ruisseau. Je marchai un peu avant de héler un taxi, m'engageant dans la rue Lambaque, parallèle à l'avenue Tejada Sorzano. De petites lumières rouges signalaient les établissements de bas étage, où travaillaient les prostituées indiennes. Un bar attira mon attention. Il se composait en tout et pour tout de trois tables et d'un comptoir. Devant la porte, deux travestis peinturlurés comme des Jivaros, aux jambes maigres, lançaient des baisers aux hommes qui passaient, en tout cas ceux qui ne pouvaient être acceptés dans des établissements plus sélects. Ils gesticulaient pour avoir moins froid en attendant le client. Derrière eux, une femme ivre marmonnait, n'insultant personne en particulier.

Une grosse au teint blafard m'empoigna soudain le bras, me disant qu'elle pouvait faire mon bonheur pour dix pesos, plaisir peut-être exotique pour un Anglais, mais qui ne me séduisait guère. Je n'avais pas envie d'avoir à soulever cinq jupons pour entrevoir un peu de chair. Je continuai mon chemin, regagnai l'avenue et pris un taxi jusqu'à la place Alonso de Mendoza.

Celle-ci était quasiment déserte. Deux hommes se battaient à côté de la statue du fondateur de La Paz, quelques curieux faisant cercle autour d'eux sans avoir nullement l'intention de les séparer. Le spectacle était comique car aucun des deux adversaires ne savait assener un direct. Ils finirent par s'empoigner par les cheveux.

Je remontai la rue Evaristo Valle. Place Eguino, un vendeur ambulant proposait des parapluies coréens à cinq pesos. Deux clochards, heureux comme des papes, édifiaient avec le plus grand soin une maison en carton pour y passer la nuit. Un petit bout de femme, l'air sérieux, ouvrit un parapluie fleuri pour tapiner sous la pluie, une jambe en avant pour tenter le client.

Le froid me transperçait les os. Je rentrai à l'hôtel.

CHAPITRE 5

Une caresse subtile me chatouilla et me tira de mon sommeil. C'était Blanca, qui venait me rappeler que nous avions rendez-vous. Profondément endormi, je ne l'avais pas entendue entrer.

– Quelle heure est-il ?

– Pas loin de cinq heures. Je n'ai pas pu venir avant à cause de la pluie.

– Dure journée, pas vrai ? murmurai-je.

Son haleine chargée d'alcool finit de me réveiller.

– Dans le second patio, on entre et on sort comme dans un moulin, déclara-t-elle.

Elle alluma la lampe de chevet et commença à se dévêtir. Ses seins jaillirent hors de son soutien-gorge quand elle le dégrafa. Elle était entièrement nue. Sa peau, plus claire que la cannelle, tremblait dès que je l'effleurais. Elle se frotta l'entrejambe à l'aide d'une pommade et d'un coton. Elle n'était pas la même sans ses peintures de guerre. Qui aurait pu imaginer qu'elle venait de coucher avec une vingtaine de types ?

Elle se glissa sous les couvertures. Son corps était brûlant. Lorsqu'elle se plaça au-dessus de moi, j'eus l'impression d'être enveloppé dans une gigantesque feuille de bananier. Elle n'avait pas l'habitude d'être traitée avec tendresse et délicatesse. Au bordel, les hommes s'accouplaient à elle sans se donner la peine de la regarder. Elle supportait leurs rudes assauts, résignée et dégoûtée. Son lot de sexe quotidien se résumait à cinq minutes de copulation sans plaisir, au cours desquelles Blanca faisait abstraction de toute sensation agréable. Avec le temps, elle était devenue une incomparable machine à faire des passes. Cette nuit-là, sans doute, ce fut différent. Je crois même pouvoir dire qu'elle découvrait l'érotisme. Ses gestes cessèrent d'être machinaux. Elle se laissa guider par mes mains, écouta mes suggestions. Je fus le témoin d'une remarquable transformation. Dire qu'elle était touchée par la grâce serait trop pompeux pour décrire ce que Blanca commençait à éprouver, mais il me semble que, toute sa vie, elle avait soupçonné l'existence du plaisir sans jamais oser le vivre.

Elle finit par s'endormir, fourbue et sereine, me laissant seul avec mes angoisses, mes spéculations ridicules, mes réponses absurdes pour résoudre le casse-tête auquel j'étais confronté. Je ne pus trouver le sommeil. J'écoutai les cloches assourdissantes de l'église du Rosario et les cris matinaux des vendeurs d'empanadas chaudes. J'allumai le transistor qu'avait apporté Blanca. Un speaker à la voix sinistre annonçait que les Berlinois de l'Est souhaitaient la réédification du Mur. Avant sa chute, ils étaient pauvres, tranquilles et obéissants. À présent, ils ne savaient que faire d'autant de liberté. Je me levai, avalai une gorgée de pisco, puis m'assoupis enfin. Vers dix heures, Blanca me réveilla doucement pour me proposer une tasse de café turc brûlant.

– Tu n'as pas l'air en forme, déclara-t-elle.

– J'ai l'impression d'être pieds et poings liés.

– Moi, j'ai dormi comme une souche.

– Hier, avant de rentrer à l'hôtel, je suis allé me promener rue Lambaque. Je ne savais pas qu'il y avait autant d'Indiennes qui se prostituaient.

– Elles viennent de la campagne. C'est à cause de la crise qu'elles font ça : elles bossent pendant quelques mois, puis elles retournent dans leur famille pour se reposer. Quand elles n'ont plus d'argent, elles repartent à la Paz.

– J'ai été épaté par ton rendement. C'était un vrai défilé, dans ta chambre, hier soir.

– Et encore, tu n'as rien vu. Tu devrais venir le vendredi. Quand j'ai fini, c'est comme si on m'avait passée à tabac.

– J'espère que tu ne fais pas comme moi et que tu mets de l'argent de côté.

Elle sourit. Ses dents éclatantes étaient la preuve qu'elle débordait de santé.

– Et ton père, qu'est-ce qu'il pense de tout ça ?

– Rien. J'aimerais bien voir ça, qu'il me fasse la morale. C'est moi qui le fais vivre. L'argent n'a pas d'odeur.

Elle me lança un regard enjôleur.

– Comment tu trouves ce café ?

– Bon, mais très sucré.

– Où vas-tu te procurer cette somme, pour le visa ?

– Je n'en ai pas la moindre idée.

– Si j'avais cet argent, je ne te le prêterais pas. Je préférerais que tu restes avec moi.

– Et qu'est-ce je ferais ?

– Tu pourrais garder ma fille…

Elle m'embrassa sur la bouche. Elle ne savait pas embrasser. Elle pressait juste ses lèvres sur les miennes.

– On ne s'est vus que trois fois. Je suis peut-être un sale type.

– Mon mari en était un, mais tu ne lui ressembles pas.

– Comment était-il ?

– Il travaillait dans une scierie, à Riberalta. C'est là que je l'ai rencontré. C'était un cousin éloigné de ma mère. Il m'a embobinée avec ses beaux discours, puis j'ai découvert qu'il courait les filles et qu'il aimait la cocaïne. Il a fait des enfants à droite et à gauche, c'est un irresponsable. Je ne l'ai pas vu depuis deux ans. Il paraît qu'il passe de la drogue au Brésil.

– S'il est dans le trafic de cocaïne, il doit rouler sur l'or.

– Peut-être, mais il dépense tout en femmes et en alcool. Un de ces jours, on retrouvera son cadavre.

Blanca portait un simple peignoir en coton et marchait pieds nus, à petits pas prudents, tel un chat.

Elle se tourna vers moi. J'eus l'impression que ce regard durait une éternité.

– Tu as besoin qu'on prenne soin de toi, me lança-t-elle, sans quoi tu vas te faire du mal. Il ne faut pas rester seul. La solitude, ça tue.

Elle s'assit au bord du lit et m'enlaça. Après l'avoir vue travailler sans complexes à Villa Fátima, j'aurais pu me dire que Blanca était une pute comme les autres : indifférente, malmenée par la vie. La fille que j'avais dans les bras n'avait pourtant rien d'un papillon nocturne ou d'une tapineuse à vingt pesos la passe. S'ils avaient été nombreux à pénétrer son corps, elle avait su préserver sa nature de paysanne des plaines humides de l'est du pays. Immature, sans malice, le concept classique de péché n'existait pas pour elle. Se prostituer était simplement son travail, et le fait de consacrer un quart d'heure à des inconnus n'entamait pas son moral. Elle louait son corps sans se poser de questions, sa vie ne semblant pas l'avoir privée de son âme d'enfant. Ayant un immense besoin de tendresse, le seul moyen qu'elle avait trouvé pour que je lui en donne consistait à me proposer de devenir son souteneur. C'était une ironie du sort, mais le destin est moqueur et nous raille jusqu'au bout.

L'animateur de Radio Fides nous informait que des mineurs en grève comptaient se crucifier devant l'université.

– Où sont-ils allés chercher ça ? demanda Blanca.

– À la télé. L'autre jour, il y avait *Spartacus*.

Une heure plus tard, j'allai faire quelques pas dans le patio.
Antonio buvait un chocolat chaud mousseux dans lequel il
trempait du pain qu'il portait ensuite à sa bouche édentée. Il
ne lui restait qu'une dent solitaire qui avait l'air d'un phare au
milieu des brisants.

– Alvarez, mon cher ami, vous prendrez bien une tasse de
ce délicieux chocolat !

– Merci, mais je ne veux pas mélanger. Je viens de boire un
café turc et je ne tiens pas à ressembler à l'un de ces pauvres
mineurs de Potosí !

– Vous avez vu où nous en sommes arrivés ? Les héros de la
révolution se crucifient pour qu'on ne les mette pas à la porte !

– C'est un excellent moyen d'attirer l'attention.

– Et un vrai banquet pour les associations humanitaires.
Même si nos mineurs ont toujours eu un sens aigu du pathos,
je suis sûr que c'est un coup médiatique des conseillers de la
compagnie minière bolivienne. Je vais attendre jusqu'à deux
heures, puis j'irai les soutenir. Entre déshérités, il faut s'entraider.
Comment ça s'est passé à l'agence ? me demanda-t-il après
avoir gardé un instant le silence.

– Un visa coûte huit cents dollars.

– Ils exagèrent. Je ne crois pas que la fille de Tarija ait eu
cette somme. Ils vous ont pris pour un milliardaire.

– Quand elles sont jolies, les femmes peuvent résoudre leurs
problèmes sans avoir à débourser quoi que ce soit.

– Vous n'avez pas huit cents dollars ?

– Bien sûr que non.

– Dans ce cas, vous pouvez toujours essayer de taper quelqu'un.

– Mon parrain, par exemple. Il est coiffeur, mais c'est un
rapiat… mission impossible.

– Et votre fils ?

– Je ne sais pas où il est.

– Fichtre !

– Et à Oruro, personne ne me prêtera cet argent. Je suis à
découvert, j'ai déjà emprunté à une agence de prêts contre un
chèque en bois. Si je retourne là-bas, c'est pour aller en
prison.

– Bah, vous finirez bien par trouver une solution !

– Je vais prier le Seigneur de Mai.

– Et où est-il, ce monsieur ?

– À San Agustín.

– Il a déjà fait des miracles ?

– D'après ce qu'on m'a raconté, son autel est couvert de
plaques de remerciement.

– Vous plaisantez j'imagine. Vous n'avez rien d'un croyant.
Moi, je vous situerais plutôt du côté des agnostiques ou des
athées.

– Vous vous trompez, j'ai la foi, et je sais que seul un miracle
pourrait me sauver.

– Si vous pouvez vous offrir ce luxe, tant mieux pour vous.
Dieu sait que je suis un sceptique et que je l'ai toujours été.
Mes services de renseignements m'ont dit que vous receviez
des visites féminines, ajouta-t-il histoire de changer de sujet.

– On ne peut rien vous cacher.

– Si le gérant l'apprenait, il aurait une crise cardiaque. Il se
prend pour le lord Byron de la rue Illampu. Un rival serait un
défi qu'il serait incapable de relever. Le pauvre homme est
obsédé par les femmes.

– Où sont les autres ?

– Notre petit Gardenia dort du sommeil du juste après une
nuit qu'on pourrait qualifier de tumultueuse. Heureusement,
il n'a pas ramené de petit ami. Quant à Antelo, il est allé chercher le dossier qui fera probablement de lui le nouveau directeur des douanes de Santa Cruz. Notre négociant en vins
arpente la ville. C'est un marcheur infatigable, un bon vendeur
et un excellent épargnant. Dites-moi, Alvarez... vous ne pourriez pas m'avancer cinq pesos ?

Je les lui donnai. Il me regarda en essayant de lire dans mes
pensées.

– Demain, le patron de l'hôtel doit me remettre un peu
d'argent. J'ai corrigé un de ses articles sur la guerre du
Pacifique, m'expliqua-t-il en se servant une autre tasse de
chocolat.

Je remarquai que son asthme avait empiré, sans doute
parce qu'il pleuvait depuis la veille au soir.

– Bon, je vais aller voir les crucifiés, annonçai-je.

– Faites attention de ne pas recevoir de coup ! Les policiers
sont sur les nerfs en ce moment. Voir des crucifiés pourrait
leur faire perdre la boule.

Un climat étrange régnait au centre-ville. La foule se dirigeait vers l'université. Avenue Montes, des agents de police
portant casque et bottes avançaient en rangs, deux par deux,
leurs pas résonnant sur les pavés. Une sirène languide s'élevait d'un vieux camion de pompiers. Personne ne pouvait
accéder à la place Venezuela, entourée de barrières de sécurité. Des centaines de curieux se massaient autour de la
statue équestre du maréchal Sucre. De là, on pouvait en effet
apercevoir les pauvres mineurs crucifiés, le corps couvert de
boîtes de conserve aplaties scintillant au soleil. Garée devant
le ministère de la Santé, une ambulance de la Croix-Rouge se
tenait prête à intervenir en cas de malaise. Un lieutenant de
police signalait en hurlant les positions que ses hommes
devraient adopter si jamais les choses tournaient mal.

Sur l'esplanade, devant l'université, flottait un drapeau
rouge frappé de la faucille et du marteau. De gigantesques
portraits de Marx, Engels et Trotski avaient été suspendus
aux fenêtres du dernier étage. Je pris la rue Landaeta et me
rapprochai de la place en suivant la rue J. J. Pérez. Un
cordon de police placé au début de l'avenue 6 de Agosto empêchait les badauds d'aller plus loin. Les policiers contenaient

leurs chiens, un étrange croisement entre une espèce du pays et des bergers allemands. Excités par l'effervescence, ils aboyaient comme des possédés. Quelques étudiants postés sur l'esplanade défiaient les forces de l'ordre en leur lançant des pierres, tels des Palestiniens pendant l'Intifada.

Les crucifiés contemplaient la scène, mortifiés. Ils savaient que si les policiers lâchaient leurs chiens, ils fondraient droit sur les étudiants et que ceux-ci prendraient la fuite. Le face-à-face dura environ une demi-heure, après quoi les agitateurs se retirèrent. Un officier de police aux joues creuses ordonna à son tour le repli de ses troupes. Les chiens reculèrent tandis que la foule s'approchait prudemment de l'esplanade. Les mineurs s'étaient attachés aux grilles qui entouraient le jardin de l'université. C'était un triste spectacle qui avait cependant quelque chose de risible. On aurait cru voir les acteurs d'un film de science-fiction australien. Des chants révolutionnaires s'élevèrent bientôt au rythme de coups frappés sur du métal. Un cameraman de la télévision allemande déballa son matériel devant l'un des misérables mineurs et une jeune présentatrice chaudement vêtue – peut-être avait-elle le projet d'escalader l'Illimani – se plaça devant la caméra avec un sourire de circonstance. Le crucifié, un homme barbu, avait l'air d'un esclave thrace à l'agonie.

– Comment vous sentez-vous ? lui demanda-t-elle.

– Mal, vraiment mal. J'ai froid et j'ai faim.

– Vous avez passé toute la nuit dehors ?

Le mineur acquiesça d'un léger hochement de la tête.

– Et vous comptez passer une autre nuit ici ?

– Oui. Si le gouvernement ne cède pas, nous mourrons ici.

– Quelles sont vos revendications ?

– Qu'on nous rende notre travail. On a passé vingt ans à bousiller nos poumons pour enrichir les bourgeois et on nous a foutus dehors comme des malpropres.

Le mineur s'exprimait dans un espagnol correct et ne semblait pas trop mal en point malgré le froid, le vent et la pluie.

– Quel est votre nom ?

– Benedicto Condori. Je viens de Huanuni.

– Quand avez-vous mangé pour la dernière fois ?

– Il y a trois jours. Une soupe.

– Combien gagniez-vous quand on vous a licencié ?

– Cinquante-cinq pesos par mois.

L'Allemande se tourna vers la caméra et, incrédule, expliqua aux téléspectateurs que cette somme équivalait à deux cents marks environ. L'interview terminée, son cameraman et elle se dirigèrent vers un autre mineur. Un des crucifiés s'était attaché au deuxième étage de l'université, sur le balcon, tout près du vide. C'était spectaculaire. Les plaques de fer-blanc qui couvraient son corps s'agitaient dangereusement dans le vent. L'homme n'avait pas de barbe et ses longs cheveux hirsutes s'étaient emmêlés à la corde qui le retenait au mât sur lequel on hissait généralement le drapeau national. Il risquait de tomber vingt mètres plus bas. Un bel oiseau de métal… C'était peut-être ce que les badauds attendaient : une tragédie pour tuer leur ennui.

Quelques minutes plus tard, les forces de l'ordre et les lanceurs de pierres partis, la place prit des allures de fête foraine. Les mineurs éveillaient chez la plupart des curieux un sentiment de pitié et de respect, plongeant certains dans la stupeur ou leur arrachant des sourires. Des airs qui auraient fait la joie de Bela Lugosi ou Boris Karloff sortaient des haut-parleurs du cinquième étage et servaient de musique de fond à ce décor pasolinien.

Je longeai les grilles pour voir si je ne connaissais pas l'un des mineurs. J'étais né dans la région où ils travaillaient et j'allais quatre ou cinq fois par an dans les grandes mines de l'État. J'aperçus alors Justo Rojas, qui avait fait son service militaire avec moi près de la frontière chilienne, à cinq mille

96 mètres d'altitude, dans l'une des casernes inhospitalières de l'Altiplano sec et glacial. Justo avait désormais des cheveux blancs, son visage cuivré était sillonné de rides. Pour le reste, il n'avait pas changé. Il me reconnut.

Son visage gercé par le froid tirait sur le violet. Il était protégé par une citerne d'essence qu'il avait découpée, s'était enveloppé le corps de journaux et coiffé d'un chapeau cloche. Je me rappelais que, vingt ans plus tôt, ce garçon triste et solitaire était devenu mon ami parce que je respectais son silence. C'est moi qui l'avais emmené pour la première fois au bordel et l'avais poussé à se battre contre un sergent sadique et raciste qui lui avait flanqué une raclée. Un bon Indien est un Indien qui se tait, or Justo commençait à trop parler… Il avait épousé très jeune la cause de son père, un mineur communiste qui lisait Pablo Neruda et maniait innocemment les bâtons de dynamite. Justo était entré à la mine à vingt ans et, pendant vingt ans, s'y était rendu quotidiennement. Il avait étudié les classiques marxistes. À ma connaissance, il n'avait jamais mis d'eau dans son vin comme l'avait fait Gorbatchev. Il était fier et grave, n'avait jamais eu de prétentions intellectuelles ni l'intention de devenir un joyeux meneur de troupes. Au contraire, fidèle à ses principes de base, il était resté très terre à terre. Cela faisait dix ans que je ne l'avais pas vu. Je crus déceler un éclat de joie dans ses yeux marron.

– Salut, Justo.

– Salut.

– Je me disais bien que j'allais retrouver ici un membre de la vieille garde.

De grands cernes soulignaient ses petits yeux perdus dans un abîme d'inquiétude. Comme tous les Indiens, Justo était imberbe, mais il avait une longue et épaisse chevelure de chef amazonien. Son haleine de feuilles de coca mâchées fit

remonter à ma mémoire des souvenirs que je n'aurais jamais
cru pouvoir retrouver.

– Je peux t'apporter un peu de pisco, si tu veux, murmurai-je.

– Je ne bois que de l'eau, camarade. Je ne suis pas ici pour faire la fête.

– Je pensais que tu étais à Oruro.

– La mine est mon destin. J'y resterai jusqu'au bout.

– Un gars comme toi pourrait supporter d'être crucifié pendant une semaine, même si tu étais vraiment cloué aux grilles.

– Tu as l'air en forme, dit-il.

– Ne crois pas ça, je suis pourri.

– Nous le sommes tous dans ce pays. Il n'y a que les morts qui s'en sortent.

Pleins de compassion, les badauds se groupaient autour de Justo. L'un d'eux bredouilla qu'il était temps qu'il aille à l'hôpital et qu'on le mette sous perfusion. Une bourgeoise s'approcha de lui et lui tendit un quignon de pain.

– Si tu veux, je vais chercher l'équipe de télévision allemande, comme ça, toute l'Europe te verra, lui proposai-je.

– Je ne parle pas l'allemand, répondit-il.

Une femme large d'épaules et vêtue d'un poncho en alpaga se fraya un passage jusqu'à nous.

– C'est ma femme.

– Circulez, il y a d'autres mineurs qui vont bien plus mal que mon mari !

Ce n'était ni plus ni moins qu'une maîtresse de maison comme on peut en voir à Huanuni : habituée à la souffrance, à la résignation et à la mort. Elle me dévisagea d'un air ironique.

– Je te présente Alvarez, nous avons été à l'armée ensemble.

Elle soupira et passa une écharpe autour du cou de Justo.

– Il m'a parlé de vous. Dites-moi, vous seriez prêt à vous crucifier, vous ?

– Pas pour un salaire de mineur.

Elle sourit.

– Il attrape des rhumes qui ressemblent à des pneumonies. Avec la bronchite qu'il a en ce moment, une nuit de plus à dormir à la belle étoile et ce sera la fin.

Je glissai dix pesos dans l'une de ses mains enflées.

– En souvenir du bon vieux temps, soufflai-je.

– Ce serait bien que l'un de nous meure sur la croix, dit Justo. Un sacré coup médiatique, non ?

– Il n'y a pas de croix, ici, seulement des grilles, lui fis-je remarquer.

– Avec un peu d'imagination…, insista Justo.

Un médecin me poussa pour prendre sa tension.

– Il est bon pour l'hôpital, annonça-t-il après l'avoir examiné.

La femme de mon ami se mit à prier à voix basse. Tous deux ayant cessé de me prêter attention, je m'éloignai vers le Prado, laissant les crucifiés à leurs grilles.

Ce spectacle m'avait attristé et, curieusement, ouvert l'appétit. Je me promenai dans les rues proches du Prado et remarquai un boui-boui dans le sous-sol d'une vieille maison bonne pour la démolition. Des planches avaient été clouées sur les fenêtres du rez-de-chaussée et des étages supérieurs. Deux ouvriers étaient en train d'accrocher au-dessus de la porte une pancarte annonçant la construction prochaine d'un centre commercial. La petite cantine était le seul signe de vie de cette structure décrépite en torchis. Dès que j'en franchis le seuil, un homme de type européen m'invita à m'asseoir. Il me dit s'appeler Landberg. Il était balte et dirigeait cet établissement. Il me conseilla la spécialité de la maison, le cochon de lait accompagné d'une salade et de pommes de terre, le tout pour la modique somme de cinq pesos. Je commandai une

bière pour faire passer le porc. En guise d'apéritif, Landberg
me raconta une partie de sa vie. Il avait manifestement envie
de parler. Il était né à Riga et vivait en Bolivie depuis les
années cinquante. Pendant la Seconde Guerre mondiale, il
avait soutenu les Allemands car il détestait les Russes et les
Polonais. Les nazis victorieux lui avaient promis des terres en
Ukraine dès la fin du conflit. Il conclut son récit en me disant,
avec une pointe de sadisme, avoir fait sauter à la dynamite un
train bondé de Soviétiques qui passait sur un pont.

– Il y a eu beaucoup de morts, m'expliqua-t-il d'un air
grave. D'ailleurs, les Allemands m'ont décoré pour ça.

Il était allé jusqu'à Moscou et avait dû combattre sous des
pluies torrentielles, dans le froid, la boue et la neige.

Landberg marqua une pause quand la serveuse vint
déposer une bière sur ma table, puis il reprit son récit. Après
avoir été chassé de Russie, il avait regagné l'Allemagne. Là,
après avoir compris que les Allemands allaient perdre la
guerre, il s'était enfui en Italie et embarqué clandestinement
dans les cales d'un bateau qui levait l'ancre pour l'Argentine.

La serveuse m'apporta un morceau de cochon de lait rôti
qui répandait un agréable fumet. Landberg attendit que j'en
prenne une bouchée, puis il affirma que, pour ce prix, il était
impossible de trouver mieux ailleurs.

– Sans trichinose, précisa-t-il. Ces porcs viennent de Stege,
pas des arrière-cours pleines d'ordures des Indiennes. Je ne
me plaisais pas en Argentine, enchaîna-t-il. Là-bas, les gens
crient tout le temps, comme les Italiens. Alors j'ai pris le train
pour l'Altiplano. Je n'avais rien à perdre. Je suis arrivé à
La Paz et, vingt jours plus tard, j'avais la bague au doigt. Je
me suis marié trois fois. C'est ma troisième femme qui m'a
appris à faire la cuisine. J'ai aussi travaillé au ministère de
l'Intérieur quand le MNR était au pouvoir. Mon expérience les
intéressait, ils avaient besoin de gars comme moi.

Son histoire de train me rappela le pont que devait faire sauter Gary Cooper dans un film sur la guerre civile espagnole.

– Salauds de rouges, maugréa-t-il.

– C'est votre troisième femme ? demandai-je en désignant du regard la fille qui était derrière la caisse.

– Non, elle c'est Lola, une amie qui me donne un coup de main.

– Ils vont démolir cette maison.

– Ils ne feront rien tant qu'ils ne m'auront pas versé dix mille dollars pour que je parte d'ici. Dès que je les ai, je plie bagage aussitôt, sans quoi, ils n'ont qu'à tout détruire et moi avec. Je m'en fiche !

– Vous ne payez pas de loyer ?

– Il ne manquerait plus que ça !

La conversation de Landberg était aussi lourde à digérer que son cochon de lait. Heureusement, il m'offrit un digestif. Il avait apparemment envie de faire des affaires car il chercha d'abord à me vendre une voiture, un téléviseur, un bout de terrain dans l'Alto Beni, pour finir par me proposer du salami hongrois.

Je quittai les lieux avec des crampes d'estomac. J'avalai trois cafés au Club de La Paz. Je me rappelai alors ma déconvenue, le visa et le pauvre type que j'étais. Il me restait en tout et pour tout quinze pesos en poche, cinquante dollars et dix grammes d'or. Malgré l'optimisme de feu mon père, je doutais que les pépites puissent se multiplier. « S'il n'y a pas de solution, il n'y a pas de problème », disent les Brésiliens. Quelle sagesse ! Nous autres, Boliviens, ne sommes pas faits du même bois, mais solides comme la pierre. Ce qui adhère au rocher finit au fil des ans par se pétrifier. J'avais un problème qui s'aggravait à chaque heure qui passait et grossissait telle une boule de neige dévalant une montagne. Je savais qu'il était insoluble, que les dés étaient lancés. Pourtant, une petite lueur brillait encore au fond de moi, qui refusait de s'éteindre. Pour moi, huit cents dollars équivalaient à huit mille dollars ou à huit millions de dollars. Je pensais à mon parrain et à Blanca. Le vieux coiffeur était un grippe-sou méfiant. Blanca pourrait peut-être me prêter cet argent, mais elle me le donnerait au compte-gouttes, à condition que je la protège et que je reste avec elle. Quant à mon fils, je n'avais plus de nouvelles de lui. C'était un irresponsable. Comme dit le proverbe : tel père, tel fils.

Je n'avais pas envie de rentrer à l'hôtel. Je ne voulais pas non plus m'enivrer, car la gueule de bois ne faisait qu'augmenter mon désespoir. Je décidai donc de flâner dans le centre de La Paz, de regarder les gens, m'attarder devant les vitrines, monter les rues escarpées et les redescendre. Place Murillo, je finis par m'asseoir sur un banc et je restai là, à observer les pigeons qui picoraient du maïs, les députés et les sénateurs qui posaient devant les caméras de la télévision. Élégants dans leurs beaux costumes ou décontractés dans le plus pur style de la gauche nationale modérée, ils affichaient une certaine auto-satisfaction. J'eus la chance de voir un ambassadeur tiré à quatre épingles descendre d'une limousine et pénétrer dans le palais présidentiel. Les gardes postés devant le portail lui firent mille courbettes tandis que la fanfare du régiment attaquait un hymne qui ressemblait à une polka. Une demi-heure plus tard, un groupe de paysans défila devant le palais en criant. Ils manifestaient pour défendre leur droit à cultiver la feuille de coca millénaire et bienfaisante plutôt que le café que les Américains et leurs esclaves du Parlement leur imposaient. Personne ne leur prêtait attention, pas même les gardes, engoncés dans leurs uniformes. Des soldats de plomb. Un vieux retraité dont l'âge était difficile à déterminer me tint un discours décousu sur les nuits blanches qu'il passait dans une maison de retraite. Il me décida à changer de quartier. Je m'éloignai sans trop savoir où aller.

Je descendis la rue Colón en m'appuyant contre un mur pour ne pas finir par terre. Près de la mairie, je m'installai sur le siège branlant d'un cireur de chaussures, un type au visage bouffi par l'alcool. Il plaisantait avec un de ses collègues en vantant les mérites d'un avant-centre récemment engagé au Bolívar. L'autre, supporter du Tigre, se moquait ouvertement de lui.

Après m'être fait cirer les souliers, je me retrouvai rue Mercado, à regarder la devanture d'une librairie. Je tentais de chasser mon ennui. Un libraire zélé décorait sa vitrine ; il disposait en éventail plusieurs exemplaires du dernier livre de Mabel Plata, dont la photo de couverture montrait une mouette au-dessus d'une mer agitée. J'entrai dans la boutique et commençai à feuilleter des magazines, tout ce qui me tombait sous la main, du *National Geographic* à *Hustler*, où s'étalaient des photos sexy de femmes parfois accompagnées d'hommes tatoués. Au bas de chaque page, les modèles, qui n'étaient pas des professionnelles, donnaient leur adresse pour une éventuelle correspondance sentimentale... Loin d'être esthétiques, ces images étaient provocantes, voire agressives.

Je me plongeai dans la contemplation des gigantesques rayonnages. Il y avait des centaines de livres : ouvrages pour

la jeunesse, romans, nouvelles, et même des encyclopédies
médicales. Je n'avais jamais été très attiré par la littérature
sur la littérature. Je lui préférais les histoires avec un début et
une fin, les romans policiers de Chandler ou de Chester
Himes. Ceux-ci me changeaient les idées et me permettaient
d'entrevoir le monde à travers les yeux de Marlowe ou de
Fossoyeur Jones. Je m'arrêtai justement sur un roman de
Himes : *Ne nous énervons pas.*

J'en lus quelques lignes et tombai immédiatement sous le
charme. Les frasques de Cercueil Ed Johnson et de Fossoyeur
Jones me transportèrent dans les rues de Harlem. Ceux qui
connaissent ce quartier de New York savent bien qu'il est difficile d'en sortir. Plongé dans ma lecture, je ne me rendis
même pas compte que les employés de la librairie étaient en
train de dégager les étagères, de déplacer des meubles et de
mettre des nappes sur les tables où s'entassaient auparavant
des livres. Ils y disposèrent des soucoupes, des verres, des
vases et des portraits de Mabel Plata, une femme au visage
émacié, aux pommettes saillantes et au regard d'une tristesse
insondable. Un serveur en veste blanche et gants noirs sortait
avec ostentation de leur caisse des bouteilles de champagne
chilien. Un type au crâne dégarni et aux moustaches nietzs-
chéennes donnait des ordres d'un ton impatient. Il s'agissait
manifestement du propriétaire des lieux. Une signature du
livre de Mabel Plata se préparait : je n'étais sans doute pas le
bienvenu.

Le plus prudent était de m'esquiver, sans oublier Himes,
dont j'avais glissé le roman dans ma ceinture. N'ayant pas
volé de livres depuis vingt ans, j'avais trouvé là une bonne
occasion pour ne pas perdre la main. Seulement, on avait
fermé la grille qui ouvrait sur la rue. Le chauve choisit cet
instant pour s'approcher de moi, un havane pincé entre les
dents, et me prit le bras avec toute l'assurance qu'on peut
avoir dans le grand monde.

– Entrez, me dit-il. J'aime les gens ponctuels. J'espère que l'intelligentsia n'aura pas trop de retard. Je vous connais, mais je ne me rappelle pas où je vous ai vu.

– J'ai tenu une librairie, il y a longtemps, à Oruro. J'étais bouquiniste.

– Et vous avez fait faillite.

– Comment l'avez-vous deviné ?

– Dans ce pays, on ne fait pas fortune en vendant des livres. Les gens lisent peu et quand ils le font, ils préfèrent les ouvrages politiques à la littérature, ça leur est plus utile. Que faites-vous maintenant ?

– Je vis de mes rentes, mais je ne roule pas sur l'or. Je pense quitter la Bolivie.

– Pour aller où ? En Australie ?

– Non, en Afrique du Sud. Les Blancs quittent ce pays parce qu'ils ont peur de se faire manger tout crus par les Noirs, maintenant qu'ils ont les mêmes droits qu'eux.

– Vous aimez les Noirs ? me demanda-t-il avec curiosité.

– Les femmes noires me rendent fou. Vous avez déjà vu une femme au corps d'ébène couchée dans des draps blancs ?

– Oui, au Brésil, mais je ne me souviens plus de la couleur des draps...

Il éclata de rire.

– Il faut qu'ils soient blancs. Rien n'est plus érotique.

– Je m'appelle Salomón Urquiola et je suis éditeur, m'annonça-t-il en me serrant la main. En Bolivie, il n'y a pas beaucoup de Noirs, Dieu merci.

– C'est pour ça que nous n'avons pas de bons joueurs de foot. Nos équipes ne savent pas bouger leurs fesses.

Salomón Urquiola me proposa un havane qu'il alluma lui-même. Je semblais l'intriguer et il me lançait de petits coups d'œil furtifs et polis. Il portait un complet brun marengo et ses mocassins grenat, qui paraissaient être passés sous un rouleau compresseur, juraient avec ses chaussettes marron.

Quand les grilles furent rouvertes, les invités commencèrent à affluer. Tous arboraient des vêtements de prix. Chacun salua Salomón Urquiola. Un homme âgé, très élégant dans son manteau anglais et coiffé d'un borsalino, fit son apparition. Il marchait en s'aidant d'une fine canne. Je reconnus en lui Mezquita, un célèbre écrivain de droite proche des militaires dont les récits un peu naïfs s'inspiraient des légendes andines. Un auteur médiocre, mais un redoutable homme d'affaires. Les dictateurs qui s'étaient relayés au pouvoir lui commandaient de longs articles de propagande qui paraissaient dans les journaux. Salomón Urquiola l'accueillit par une accolade : c'était un honneur pour lui de recevoir un visiteur aussi distingué. L'autre le remercia et promena un œil napoléonien sur l'assistance. N'ayant remarqué personne qui méritât d'être salué, il se montra aussi distant qu'une star. Alors qu'il gagnait le fond de la salle, un tonnerre d'applaudissements s'éleva. L'invitée d'honneur, la femme fluette de la photo, venait d'arriver au bras d'une jeune Indienne. Elle était fourbue mais trouva assez d'énergie pour ébaucher un sourire reconnaissant et nous montrer ses dents jaunies. Elle s'approcha de Salomón Urquiola et lui tendit une main pâle et languide.

– Très chère Mabel…, murmura le patron de la librairie.

– Ces rues en pente sont une malédiction, se plaignit-elle. Je ne sais pas ce que je ferais sans Andresita…

Andresita, qui avait tout l'air d'être une fille de la campagne, était incapable de cacher son irritation. Porter des poétesses fatiguées dans les rues de La Paz en fin de journée n'avait rien d'amusant.

Salomón Urquiola éteignit son havane. Il leva le bras gauche pour faire cesser les murmures et les conversations.

– Mesdames et messieurs, éminents gens de lettres… Aujourd'hui est un jour très spécial car nous vous présentons le dernier recueil de poèmes de notre chère Mabel, qui, j'en

106 suis sûr, fera sensation dans le panorama littéraire actuel si malmené par la crise qui ébranle notre pays. Nous attendions tous avec impatience de connaître le sujet du prochain ouvrage de notre chère poétesse. Il y a quelques années, elle s'est employée à faire des vers sur *L'Amour perdu*, puis sur la *Terrible Solitude*, un magnifique et impressionnant récit en prose sur l'alcoolisme. Elle s'est ensuite intéressée à l'érotisme au travers d'une confession osée et douloureuse traitant des rapports entre deux personnes du même sexe, qui n'est pas sans nous rappeler l'extraordinaire Anaïs Nin. Elle nous revient à présent avec un recueil sur la mer... oui, la mer qui nous a été volée perfidement par les Anglais et l'avidité de la bourgeoisie chilienne. Cette mer qui nous est à la fois si proche et si lointaine... si romantique et si profonde que nous la regrettons tous. Un sujet difficile pour une plume avertie, un défi que Mabel Plata a su relever courageusement. De ce défi est née une poésie qui fera verser des larmes, mais aussi renaître l'espoir de retrouver un jour notre côte pacifique. J'avoue avoir dévoré ce recueil en une soirée, car la plume magique de Mabel m'a transporté sur ces plages désertes d'Atacama où il n'a semble-t-il pas plu depuis trois siècles, mais où résonnent encore les lamentations de nos soldats immortels.

Salomón Urquiola termina son petit discours en écartant les bras et en levant les yeux au ciel, tel un tribun. Il sécha une larme invisible et s'empressa d'allumer un autre havane. Son intervention fut accueillie par une salve d'applaudissements. Entre-temps, Mabel s'était libérée de la main protectrice de sa petite Andresita et s'était avancée jusqu'à l'endroit réservé aux orateurs. Elle marchait d'un pas lent, à croire qu'elle avait des chaînes aux pieds. Les mains sur les hanches, elle attendit que tout le monde fasse silence. On aurait pu entendre une mouche voler.

– Mes chers et tendres amis. Je me réjouis du fond du cœur des paroles sincères de l'éditeur du peuple, le plus humain de tous les hommes de lettres de ce pays. Il dit vrai en parlant de défi, car c'en était un de marcher sur les plages qui ont été les nôtres. J'ai eu le sentiment d'entrer dans un univers hostile et peuplé de fantômes. Antonio de las Mercedes Plata, mon arrière-grand-père, est mort au combat près de Mejillones. Voir l'océan, pouvoir le toucher, me laisser bercer par ses vagues, regarder les bateaux, entrevoir les minuscules barques des pêcheurs et respirer les embruns a été pour moi une expérience triste et poignante. Quand je contemplais cette mer agitée qui nous a un jour appartenu et que nous avons perdue parce que l'oligarchie minière nous a planté un poignard dans le dos, toute ma sensibilité de poétesse en était ébranlée. J'ai commencé l'écriture de ce livre dans une pension, sur la côte. J'étais comme envoûtée, incapable de m'arrêter… Je n'ai pu poser ma plume qu'après avoir écrit le mot de la fin. Cette plume, je me la suis fait voler par des voyous péruviens à Tacna.

– Oh ! rugit l'auditoire.

– Je n'ai cessé d'écrire que lorsque j'ai été vidée de mes forces et sur le point de défaillir. Pendant trois jours et trois nuits, je n'ai ni mangé, ni dormi. Quand je suis revenue à moi et que les démons de la poésie ont déserté mon corps, je me suis évanouie devant ma chère petite Andresita, qui pleurait comme une Madeleine. J'avais perdu cinq kilos, mais je me suis rétablie en mangeant beaucoup de fruits de mer !

Tout le monde rit de bon cœur. Quand la voix de Mabel Plata devint un murmure inaudible, l'assistance applaudit avec ferveur.

– Andresita a un autre point commun avec Marie Madeleine. Au lit, elle est aussi douée que la pécheresse, susurra dans mon dos l'ami des dictateurs.

– Ne soyez pas médisant ! dit une dame sans âge, drapée d'un col de renard qui sentait l'urine.

– Les lesbiennes ont le droit de s'aimer, chère madame. Tout sentiment doit être respecté, lui rétorqua-t-il.

– Vous dites ça parce que vous êtes jaloux, répliqua la femme au renard.

Dès que Mabel se fut détournée du pupitre des orateurs, les serveurs firent leur apparition, chargés de plateaux de canapés et d'empanadas qu'ils faisaient habilement circuler parmi les invités. Je calculai que si je me bourrais de petits-fours, j'allais économiser un dîner, mais c'était compter sans l'appétit des intellectuels : ils se jetaient sur la nourriture comme des rapaces. Je n'eus même pas droit à une coupe de champagne, des mains avides fondant sur les verres avant moi. En attendant avec impatience la deuxième tournée, j'observais la poétesse. Assise à un bureau, elle signait des exemplaires de son livre et adressait à tous un sourire angélique. Discrètement placée à ses côtés, sa compagne regardait les acquéreurs d'un air empreint de commisération. Mabel Plata nageait dans le bonheur. Manifestement, l'argent l'inspirait. Quelques plateaux ressurgirent enfin. Je me précipitai sur le serveur pour récolter quelques canapés de caviar et de jambon. Je réussis même à m'emparer d'un verre de vin blanc liquoreux qui sentait la résine. Je m'éloignai de ce chœur d'invités triés sur le volet et m'empiffrai à mon aise de tout ce qui me tombait sous la main. Je ressentis une douleur à la nuque au bout d'un quart d'heure : j'avais oublié qu'en altitude, le vin blanc est un véritable poison. Mabel Plata, quant à elle, s'était approprié une bouteille de rouge qu'elle sirota entièrement tout en devisant avec ses admirateurs. L'alcool l'avait rendue mélancolique. Elle se mit à embrasser toutes les jeunes filles de l'assistance et à leur passer dans les cheveux ses mains sèches et veineuses qui, par moments, ressemblaient à des liserons. Personne ne se plaignit de ces débordements, surtout pas l'éditeur, qui espérait bien que ce petit numéro serait bénéfique au lancement de son recueil, *La Mer perdue et retrouvée*.

Il faisait très chaud. Je commençais à sentir les premiers symptômes de la claustrophobie : tachycardie et montées d'angoisse. Je me frayai un passage parmi les invités pour m'isoler au rayon des dictionnaires et des guides touristiques. J'espérais que ce pince-fesse serait bientôt terminé, ce qui me permettrait de quitter la librairie sans éveiller les soupçons. Le roman de Chester Himes risquait à tout moment de glisser sur mes parties intimes. J'allais inévitablement attirer sur moi l'attention des employés. Ceux-ci savaient pertinemment que leurs beaux vêtements et leurs patronymes ronflants n'empê-chaient pas les convives d'avoir envie de voler des livres, bien au contraire.

J'envisageais de quitter les lieux le plus discrètement pos-sible quand je vis une femme époustouflante franchir le seuil de la librairie. Elle était grande et mince et ses traits sem-blaient avoir été taillés par un diamantaire virtuose. Au milieu de l'assistance fade et grise, elle faisait figure de mirage. Elle devait avoir vingt-trois ans, avait les cheveux châtains, une peau nacrée, des yeux verts, un regard distant. Elle n'avait pas le glamour des actrices d'Hollywood et ne correspondait pas aux canons classiques de la beauté, mais elle avait un petit je-ne-sais-quoi à couper le souffle des types comme moi. En somme, elle semblait venir d'une autre planète. À sa vue, Mabel Plata se pétrifia, perdant le fil de ses pensées. La jeune femme s'approcha d'elle et l'embrassa sur la joue. La poé-tesse devint toute rouge.

– Quelle surprise ! balbutia-t-elle.

– Je ne voulais pas manquer ça.

Mabel griffonna une dédicace éthérée sur la première page de l'exemplaire qu'Andresita lui avait tendu. La jeune femme la lut en souriant et remercia la poétesse en déposant un baiser sur son autre joue. Mabel demeura aussi immobile qu'une stalactite.

Après cette rencontre émouvante, le recueil sous le bras, la jeune femme alla saluer quelques personnes. Elle portait un tailleur bleu à la coupe impeccable, probablement hors de prix, des chaussures noires et un sautoir de perles de culture sur un chemisier blanc. Rien que pour ce collier, des voleurs n'auraient pas hésité à tirer sur toute l'assistance. Je la suivis du regard en songeant que, cette nuit-là, elle peuplerait mes rêves. Elle échangea les politesses d'usage, puis se promena en solitaire dans la librairie, examinant les rayonnages et feuilletant un ou deux magazines et des livres de poche. Elle s'arrêta à quelques mètres de moi. J'avais les pieds rivés au sol, incapable de faire le moindre geste, non seulement parce que son parfum m'enivrait, mais surtout à cause du roman de Chester Himes, qui menaçait au moindre mouvement d'entamer une chute vertigineuse. Cela aurait fait la joie des employés qui, d'instinct, ne me quittaient pas des yeux. Je souris avec autant de naturel qu'un Anglais sur le point d'être sacrifié par une bande d'Hindous en colère.

– Tu fumes ? me demanda-t-elle en sortant une cigarette d'un étui doré.

– Oui, merci.

– Excuse-moi, mais je t'ai pris pour un des employés.

– Ce n'est pas grave.

Il y avait une pointe d'humour dans son regard. Elle alluma une cigarette et me tendit l'étui. Je n'avais jamais vu quelqu'un tirer une bouffée avec autant de sensualité. Sa bouche s'ouvrit telle une rose qui reçoit la première goutte de rosée matinale. J'allumai à mon tour la mienne en tentant de prendre une pose à la Philip Marlowe. Cela ne l'impressionna pas le moins du monde. Elle semblait intriguée par mon immobilisme et fronça délicieusement les sourcils.

– Je me demande s'ils ont les œuvres complètes de Gramsci.

Personne ne se tenant derrière moi, j'en déduisis que cette question m'était adressée.

– Je n'en sais rien, soufflai-je. Je ne suis venu que pour voir Mabel.

– Son séjour au Chili ne lui a vraiment pas réussi. Je ne l'ai encore jamais vue dans cet état. On dirait qu'elle n'a pas été une seule fois sur la plage pour profiter du soleil. Elle fait partie des gens qui détestent le soleil, expliqua-t-elle en dardant sur moi ses yeux verts caressants et charmeurs.

– Qui est Gramsci ?

– Un marxiste italien. J'écris une thèse sur lui.

– Qu'est-ce qu'une belle fille comme toi peut trouver à un *has been* pareil ?

– Tu plaisantes ?

– Les marxistes n'ont pas croulé sous l'avalanche ?

Elle sourit. Je me sentais vieux, incapable de m'emparer de ce sourire qui ne m'était pas destiné.

– Aux signatures, on croise toujours les mêmes gens. Toi, c'est la première fois que je te vois.

– C'est aussi la première fois que je viens.

– Je croyais que tu étais un ami de Mabel.

– J'aimerais bien, elle est vraiment sympathique...

– Mabel Plata et Andresita forment un couple qui pourrait faire mourir d'ennui un moine tibétain.

– En fait, j'essaie de m'échapper.

Elle m'observa avec un intérêt soudain.

– Je viens de piquer un livre de Chester Himes et je n'ai pas l'intention de le rendre, expliquai-je.

Elle chercha du regard une mallette où j'aurais pu mettre l'ouvrage en question.

– Il est entre mes jambes. Je ne dis pas ça pour plaisanter et je suis tout, sauf grossier.

– Tu ne peux pas l'acheter ?

– Il coûte cinquante pesos !

– Tu parles sérieusement ? Tu as vraiment ce livre entre les jambes ?

– Je le jure sur la vierge d'Urkupiña.

– Je vais t'aider à t'éclipser.

L'idée me sembla séduisante. Au bras de cette beauté, les libraires ne me suspecteraient pas. Je lui emboîtai le pas tandis qu'elle distribuait des sourires aux invités. Elle prit congé de la poétesse en l'embrassant à nouveau sur la joue. Mabel Plata fut parcourue de frissons.

– Je m'appelle Isabel Esogástegui, me dit-elle dans la rue.

– Mario Alvarez d'Oruro. Où vas-tu ?

– Chercher ma voiture, elle est près d'ici.

– Je t'accompagne. Si tu n'avais pas été là, je me serais fait prendre.

– Pourquoi m'as-tu dit que tu connaissais Mabel ?

– Je ne sais pas. Pour t'impressionner, peut-être…

Elle marchait sans se presser, d'un pas qui faisait rouler ses hanches avec distinction. Les passants, hommes et femmes, l'observaient, envieux ou fascinés, mais pas indifférents. Quant à moi, je m'étais miraculeusement libéré de Himes et tâchais de paraître décontracté. J'étais habillé comme un Coréen : chemise déboutonnée et costume terne. Si j'avais eu vingt ans de moins, mon allure n'aurait pas été aussi pathétique. Mais cela ne semblait pas gêner Isabel.

– Tu es allée voir les crucifiés ?

– Oui, ce matin. À l'Université catholique, nous avons organisé une collecte.

– Quand j'étais petit, à Uyuni, je fréquentais les campements des mineurs. L'un des crucifiés est un ami à moi.

Nous traversâmes la rue Colón. Isabel entra dans une pharmacie pour acheter une pilule rose qu'elle avala sur place après avoir demandé un verre d'eau.

– J'ai les nerfs en pelote… Des histoires de famille.

– Moi aussi j'ai des problèmes, mais plutôt que de prendre des cachets, je bois des *huislulus*.

– Ah oui ? Qu'est-ce que c'est ?

– Un breuvage à base de clous de girofle, de cannelle, de cacao et d'alcool. C'est une boisson de pauvres.

– Qu'on trouve où ?

– Dans les quartiers les plus hauts de la ville, au-dessus de la place San Francisco.

Les derniers rayons du soleil venaient de disparaître derrière les montagnes. La nuit prenait discrètement possession de la ville. Le ciel était dégagé ; une petite brise soufflait, si légère qu'elle me permettait de sentir les effluves du parfum d'Isabel. Dans le parking, un garçon en salopette s'empressa de lui avancer sa voiture, une Honda aussi rutilante que dans les spots télévisés. Elle lui donna un pourboire, s'installa au volant et me demanda si j'allais dans le sud de la ville. Je lui dis que non en la remerciant. Mes genoux tremblaient comme si j'avais dû tirer un penalty et j'essayais de me maîtriser. Elle s'éloigna, me laissant près de l'employé, qui sentait la sueur. Si je restais quelques minutes de plus, j'allais avoir la nausée pour le restant de la soirée.

– Elle vient tous les jours ? lui demandai-je.

– Non, de temps en temps seulement, mais elle est toujours accompagnée.

Il lâcha un petit rire insolent. Visiblement, il cherchait à me faire comprendre que je n'avais aucune chance.

– On ne t'a pas demandé ce genre de précision, rétorquai-je.

Il cessa de faire le malin et tourna les talons pour aller dans un petit réduit d'où il pouvait surveiller les lieux.

Je refis le chemin inverse en descendant la rue Mercado et attendis l'autobus au coin de la rue Ayacucho. Trois passèrent sans marquer l'arrêt, bondés. Les gens s'entassaient jusque sur les marchepieds. Je pus enfin monter dans le quatrième.

À l'intérieur, ça sentait le bouc. Jusqu'à l'avenue Manko Kapac, nous fûmes serrés comme des sardines.

Blanca m'attendait dans le vestibule, devant une telenovela. L'homme qui était affalé à côté d'elle sur le canapé prêtait davantage attention à ses fesses qu'aux cris hystériques des acteurs vénézuéliens.

– Tu veux aller manger ? me proposa-t-elle.

– Je me suis bourré de petits-fours dans une librairie où j'ai volé ce livre.

Elle le feuilleta un moment pour constater qu'il n'y avait pas de photos.

– Ce soir, nous allons avoir beaucoup de clients. C'est la finale de la coupe Libertadores.

– Qui joue ?

– Le Tigre.

– Et toi, tu es pour qui ?

– Pour Oruro Royal, paix à son âme. Si ça se trouve, le Tigre va gagner et tout le monde va fêter la victoire.

– Si le Tigre gagne, les hommes iront tous dans les bars.

Le gérant nous observait du coin de l'œil. Apparemment, le fait que Blanca et moi sympathisions lui déplaisait. J'avais l'impression que cela n'avait rien à voir avec une quelconque bonne morale hôtelière, mais plutôt avec le fait qu'il n'appréciait pas qu'un autre que lui couche avec une pute sans payer, privilège qui lui était réservé.

– Le gérant ne te quitte pas des yeux, dis-je à Blanca. Tu l'excites tellement qu'un de ces jours il va devenir fou.

– Il me donne des boutons. Sa peau ressemble au ventre d'un crapaud.

– En tout cas, il me déteste cordialement.

– Dis, si je n'ai pas beaucoup de clients, ce soir, j'essaierai de rentrer tôt, murmura-t-elle en jouant avec une de mes mains. Tu as les mains froides. Il faut que tu bouges un peu.

– J'ai surtout besoin d'un pisco.

– Tu penses toujours à ton visa ?

– Non, je me dis que j'aimerais bien garder ta fille pendant que tu travailles, répliquai-je avec une pointe de cynisme.

– Tu sais, je parlais sérieusement. Je ne suis pas du genre à faire des promesses en l'air.

– C'est la première proposition honnête qu'on m'ait faite depuis des années.

– Nous en rediscuterons ce soir, me lança-t-elle en prenant congé.

Ses talons résonnèrent dans le hall. Le gérant la suivit du regard en faisant une tête de bourreau désœuvré, puis me lança un coup d'œil interrogateur. J'allai dans le second patio. Antonio était calé dans un rocking-chair et bavardait avec un homme étrange.

– Mon cher Alvarez ! s'exclama-t-il. Permettez-moi de vous présenter le meilleur vendeur de vins et de fromages de La Paz, l'infatigable et matinal Rommel Videla.

L'homme se leva avec difficulté de la petite banquette où il était assis.

– Comment allez-vous ? lui demandai-je.

Il avait une bonne cinquantaine d'années. C'était un homme maigre à la peau parcheminée qui semblait sortir de convalescence. Quand il me tendit la main, j'eus l'impression qu'il allait me communiquer son apathie et sa tristesse.

– Rommel Videla, à votre service, bredouilla-t-il.

– Notre ami Rommel a été prénommé ainsi en l'honneur du Renard du désert. C'est un marcheur infatigable, il va de porte en porte dans cette ville pleine de montagnes russes. Rien que cela, c'est un exploit.

Rommel Videla était d'origine européenne mais avait l'impassibilité des Aymaras.

– Vous buvez du vin ? me demanda-t-il.

– Je préfère la bière. Le vin fait monter ma tension.

– C'est dommage, observa Videla, très sérieux. Je représente les vins Paz et Paz de la ville de Tarija et la fromagerie San Ignacio, à Santa Cruz.

– Avez-vous lu Omar Khayam ? me demanda Antonio.

– Pas que je sache.

– C'est un grand poète persan qui écrivait des vers sur les bienfaits du vin.

– Bizarre pour un musulman, dis-je.

– Il y a aussi des brebis égarées dans les vignes d'Allah.

Rommel Videla me dévisageait bizarrement. Il avait l'air de craindre que je lui lance une pique.

– En tout cas, si jamais vous entendez parler de quelqu'un qui veuille acheter du vin et du fromage, prévenez-moi, lâcha-t-il d'un ton implorant.

Il avait une belle voix grave et cérémonieuse de présentateur-radio qui jurait avec sa silhouette insignifiante. J'acquiesçai avant de me précipiter dans ma chambre. J'avais une envie irrépressible de savoir si l'or que m'avait donné mon père était toujours au fond de ma valise. C'était le cas. Je pris la bourse qui contenait les pépites, puis regagnai le patio.

– Toutes ces allées et venues pour votre visa ? s'enquit Antonio.

– C'est plus compliqué que je ne le pensais.

– Ne prenez pas cette histoire tant à cœur, parce que tout ce que vous allez obtenir, c'est un visa pour le cimetière. Alvarez voudrait aller aux États-Unis, expliqua-t-il à Videla.

Le marchand de vin hocha la tête telle une marionnette.

– Où puis-je vendre quelques grammes d'or ?

Il ferma à demi les yeux.

– Je peux téléphoner à un ami si vous en avez suffisamment, proposa-t-il.

– Je n'ai que dix grammes, précisai-je avec humilité.

– Alors dans ce cas, en remontant la rue Max Paredes, vous trouverez des tas d'acheteurs.

– Je n'ai pas vu la couleur de ce métal depuis les années cinquante, dit Antonio. J'ai échangé mon dernier étui à cigarettes en or contre une nuit d'amour avec une fille merveilleuse, à Valparaiso.

– Rue Max Paredes, répétai-je.

– Vous ne pouvez pas vous tromper, lâcha Antonio. Cette rue est bourrée de Coréens.

Les Coréens se tenaient sur le seuil de leurs boutiques de tissus. Industrieux, ils travaillaient en famille. Parents et enfants constituaient des entreprises modestes, mais efficaces. Ils criaient à pleins poumons, à tel point qu'on aurait pu croire qu'ils se disputaient constamment. Avant d'avoir atteint la vaste étendue d'échoppes du Mercado Negro, je vis les premières enseignes d'acheteurs d'or. Dans ces boutiques situées au bout de ruelles étroites ou au fond de cours discrètes, on vendait des bijoux et des bibelots en argent. Je constatai que les Indiennes avaient le monopole du commerce de l'or au détail. Assises à des tables branlantes, elles manipulaient des balances rouillées et faisaient courir leurs doigts sur des calculettes. Même si je n'avais qu'une quantité d'or négligeable, elles ne m'inspiraient pas confiance. Elles semblaient irritables, peu avenantes. Elles recevaient parfois les clients derrière de simples comptoirs donnant sur la rue et n'avaient manifestement pas peur de se faire agresser. Je ne vis aucun policier patrouiller dans le quartier : les forces de l'ordre brillaient par leur absence.

Le passage Ortega, entre les rues Max Paredes et Tumusla, était encombré de flâneurs en tout genre. Comme c'est le cas dans presque tous les quartiers populaires, il se divise en

plusieurs tronçons spécialisés dans les fournitures scolaires,
les chaussures, les sous-vêtements, les spiritueux. On y vend
aussi des œufs, du piment et des fripes dans de petits réduits
encombrés de chiffons.

J'avais besoin d'un verre pour commencer la soirée.
J'entrai dans la pension Luribay. Le rez-de-chaussée était
meublé d'un long bar flanqué de tabourets. L'endroit, vieux et
crasseux, était tenu par un homme au visage abîmé. Je commandai un double huislulu, dont les bouteilles étaient alignées
sur une étagère derrière le comptoir. Ce breuvage à un peso
satisfait tous les clients car il est dosé différemment selon les
stades de l'ivresse : léger pour ceux qui viennent juste de s'y
mettre et très chargé en alcool pour les soiffards déjà bien
avancés dans leur beuverie.

L'homme qui vacillait à mes côtés – un habitué – me confia
que le patron s'appelait Yujra et avait été un boxeur de renom
dans les années soixante. Il était porté sur la boisson et
s'entraînait sur les clients qui faisaient du grabuge pour ne
pas perdre la main.

Je m'installai près de la grande fenêtre qui donnait sur le
passage. Tout en éclusant mon deuxième huislulu, je regardais d'un air distrait le local d'en face. Au premier étage, il
y avait un bureau où l'on vendait et achetait de l'or. Bien
que la façade du bâtiment fût décrépite, la pièce où s'effec-
tuaient les transactions avait l'air spacieuse et le commerce,
florissant. Une femme élégante était assise derrière un
bureau où s'étalaient des calculatrices, l'indispensable
balance, deux téléphones et un ordinateur. Elle était en
pleine négociation avec un homme qui semblait être un
orpailleur. Celui-ci lui tendit une bourse dont elle vida le
contenu dans l'un des plateaux de la balance pour le peser
avec soin. Elle nota quelque chose sur un papier qu'elle
montra à l'homme. Il acquiesça, après quoi elle se dirigea vers
un petit coffre-fort encastré dans un mur. Elle en actionna

la poignée et y prit des billets et des pièces de monnaie. Elle s'assura que le compte y était et remit l'argent au vendeur. Il le glissa dans la poche intérieure de sa veste avant de quitter les lieux.

Elle passa un appel téléphonique et raccrocha presque aussitôt. Elle arrangea sa coiffure, alluma une cigarette et pressa un bouton. Une Indienne qui portait un ballot sur son dos entra. Les deux femmes se saluèrent. L'Indienne défit son ballot multicolore et lui tendit une petite boîte en corde tressée. Je crus distinguer des lingots. L'acheteuse se dirigea à nouveau vers le coffre-fort. Cette fois, il me sembla qu'elle lui remettait une grosse liasse de billets. J'en avais l'eau à la bouche. C'est à cet instant précis que l'idée absurde et diabolique de faire un braquage me traversa l'esprit. Je n'étais pas un professionnel, pas même un amateur de ce genre d'expériences. À part des livres, je n'avais commis de vol qu'une seule fois dans ma vie : celui d'une veste en cuir, dérobée au Slave pour lequel je travaillais. Près de la frontière chilienne, dans le village de Tambo Quemado, j'avais ouvert une de ses valises de contrebande et l'avait prise pour me protéger du froid, tout en comptant la lui rendre. Le Croate ne me l'avait jamais réclamée.

Il n'était pas encore vingt heures et le boxeur à la retraite avait déjà mis trois ivrognes querelleurs à la porte.

– J'ai quelques grammes d'or à vendre. Je vais y aller et je repasse plus tard, lui dis-je lorsqu'il me demanda si je voulais un quatrième huislulu.

Les nombreux coups qu'il avait dû recevoir dans sa vie l'avaient rendu sourd comme un pot.

– Qu'est-ce que vous dites ?

– Il dit qu'il va vendre de l'or et qu'il revient ! hurla une femme blanche.

Elle avait une allure aussi déplorable que celle d'une *white trash**. Tous les clients se retournèrent et me regardèrent comme si j'étais Paul Getty descendu des cieux.

– Allez donc chez Arminda ! s'exclama le patron. Elle paie en dollars.

Je quittai le bar le plus discrètement possible. Sous l'œil vigilant de Yurja, les habitués ne bougèrent pas d'un pouce.

Je traversai la ruelle et poussai une lourde porte. Sur ma gauche, des escaliers en béton conduisaient aux bureaux que j'avais vus par la fenêtre. Je frappai à la porte. Le jeune qui m'ouvrit me transperça de ses yeux noirs, apparemment surpris de ma visite.

– C'est pour quoi, monsieur ?

– J'ai un peu d'or à vendre.

– Nous allions justement fermer.

– J'en ai pour cinq minutes. Je pars en voyage ce soir.

– Il fallait venir plus tôt.

Il me fit néanmoins entrer dans la salle d'attente où patientaient deux personnes : une femme qui serrait dans son giron un énorme sac à main, et un homme. À en juger par la manière dont ce dernier était voûté sur sa chaise, il devait au moins mesurer deux mètres. La femme avait le teint mat et des traits arabes. On pouvait lire le mot *Dodgers* sur son survêtement. Elle portait des baskets. L'homme feuilletait un album de photos, une mallette calée entre ses bottes de géant. Tout en lui était colossal. Au lieu de naître, il avait explosé. Jamais je n'avais vu quelqu'un d'aussi grand. Il était vêtu d'un vieux pull et d'un jean qui laissait à découvert ses mollets protégés par de grosses chaussettes de laine.

---

* Aux États-Unis, on surnomme ainsi les femmes blanches issues des milieux les plus défavorisés. (*NdT*)

Une sonnette retentit. Le jeune qui m'avait accueilli vint chercher la femme. Le géant tira de sa poche un sachet de cacahuètes et de fèves sèches qu'il débarrassait de leur enveloppe d'une simple pression du pouce et de l'index.

– Vous venez du Guanay ? me demanda-t-il.

– Non, d'Oruro.

– Vous vendez de l'or ?

– J'ai à peine dix grammes, un souvenir de famille.

– Mme Arminda n'achète pas de bijoux, vous savez.

– Ce sont des pépites.

– Je m'appelle Cabral et je viens de Tipuani. Cette fois, j'ai pu acheter dix kilos d'or à une coopérative aurifère. Je vais aussi dans le Guanay ou à Mapiri. Vous connaissez ?

– Jusqu'à Caranavi, seulement.

– La région de l'or est magnifique, un vrai paradis.

– Un kilo, ça doit faire dans les dix mille dollars, estimai-je.

– À peu près.

Il se leva. On aurait dit un basketteur de la NBA… Il avait les bras si longs qu'il pouvait se gratter les genoux sans se baisser d'un millimètre. Il se mit à faire les cent pas, songeur, en engloutissant ses cacahuètes. Son visage avait quelque chose de préhistorique. Je n'aurais pas été étonné de le croiser dans un musée anthropologique. Sa tête néanderthalienne était couronnée d'une tignasse assez imposante pour abriter un serpent. Il remplissait à bloc ses énormes poumons à chaque respiration et je me fis la réflexion que si jamais cette pièce avait été hermétiquement fermée, nous n'aurions pas tenu plus de vingt-quatre heures.

– Prenez-en, c'est excellent pour la vigueur sexuelle, déclara-t-il d'un ton impassible.

– Je croyais que l'ail était meilleur.

– Ça, c'est ce que disent les Indiens, mais ce sont des conneries.

– Comment se fait-il que vous soyez si grand ?

Il eut un sourire d'enfant gâté.

– C'est de famille. Mon père est un Péruvien de la région de Chimbote. Il mesure 1,90 mètres. Six centimètres de moins que moi. Ma mère est une descendante de Galiciens d'Alcoche, elle est grande et forte. Pour vivre sous les tropiques, il faut être costaud. Mon frère Carlos mesure 1,95 mètres. Il est parti en Argentine, ça fait déjà un petit moment. Il a d'abord été catcheur, puis on lui a cassé trois côtes, alors il est devenu pizzaïolo. Maintenant, il habite Tandil. Ça reste entre nous, mais vous savez, ajouta-t-il en se baissant, ma queue mesure vingt et un centimètres. Quand je vais aux putes, elles me font payer cent pesos, autrement, personne ne veut coucher avec moi.

– Et en plus, vous êtes riche, lâchai-je ironiquement.

– Je suis chercheur d'or depuis que j'ai vingt ans. L'or m'attire mais je ne le garde pas, ça porte malheur. S'en procurer, c'est intéressant mais risqué. Il faut savoir l'acheter, c'est tout un métier. Beaucoup de gens veulent vous tromper, c'est dangereux. Il y a pas mal de voleurs…

– Il faudrait être fou pour essayer de vous voler. Ce serait comme de retirer un anneau du doigt de Mike Tyson.

– Ne croyez pas ça. J'ai été deux fois victime de tentatives de vol. La première à Tipuani, la nuit. Un métis noir des Yungas et un Brésilien me sont tombés dessus avec des couteaux. J'ai fracassé la tête du métis à coups de pierre et écrasé les couilles du Brésilien jusqu'à ce qu'il chante l'hymne national.

– Le sien ou le nôtre ?

– La deuxième fois, enchaîna-t-il en ignorant ma question, je rentrais de Caranavi. J'étais à l'arrière d'un camion de fruits. Quand nous sommes arrivés à Unduavi, un connard m'a offert un café qu'il avait bourré de somnifères… Je me suis réveillé le lendemain à l'hôpital. Tout le monde pensait que j'allais y rester. Le voleur a réussi son coup. Il a disparu dans la nature avec un demi-kilo d'or dans les poches. Qu'est-ce que vous dites de ça ?

124

– Que c'était la seule façon de procéder.

On frappa à la porte. C'était un paysan qui apportait un panier d'œufs. L'employé d'Arminda lui en acheta trois douzaines.

– Le mari d'Arminda est originaire de l'est du pays. Au petit déjeuner, il mange trois œufs et deux steaks, me dit Cabral.

– Je plains son foie ! Mais bon, s'il est capable d'ingurgiter ça, c'est qu'il doit être costaud.

– Non, il est gros, c'est un vrai tas de graisse.

– Il n'aide pas Arminda ?

– Non. Elle travaille seule avec Severo.

– Son employé.

– Oui. Son mari collectionne les monnaies anciennes. Vers onze heures du matin, on peut le voir rue Sagárnaga. Arminda est la plus grosse acheteuse d'or de la ville. Vous n'avez pas vu ses publicités dans le journal ? Quatre personnes différentes et quatre numéros de téléphone, mais quand vous appelez, on vous renvoie systématiquement ici. Elle a le monopole de la vente en gros.

– Pourquoi fait-elle ça ?

– Allez savoir…

La femme en survêtement quitta le bureau. Cabral se leva dès que la sonnette retentit. Je l'entendis dire bonjour à Arminda. Severo, dans la salle d'attente, lisait le magazine *Gente*. Il était plus petit que moi et pesait bien dix kilos de moins. S'il n'était pas ceinture noire de karaté, je pourrais facilement lui régler son compte. Quoi qu'il en soit, une matraque ne serait pas de trop. Un bon coup sur la nuque et le tour serait joué. Il y avait tout de même quelque chose qui m'intriguait. Si Arminda achetait de l'or en grandes quantités, elle devait être protégée par des gros bras. Severo ne jouait manifestement pas ce rôle. Si le cyclope disait la vérité, le braquage serait un jeu d'enfant.

– Jusqu'à quelle heure êtes-vous ouverts ? demandai-je à
Severo.

– Huit heures, huit heures et demie. Ça dépend s'il y a du
monde.

Il me regarda de travers. À l'évidence, il n'aimait pas qu'on
lui pose des questions.

– C'est la première fois que je vois un géant qui possède
autant d'or. Généralement, les hommes comme lui travaillent
dans les cirques pour gagner un salaire de misère.

– Oui, mais lui, il est loin d'être bête.

– Ce serait peut-être une bonne idée de l'embaucher
comme agent de sécurité.

J'eus droit à un regard agacé et méprisant.

– Nous n'avons besoin de personne.

Qu'entendait-il par là ? Qu'un seul employé suffisait à
Arminda ou qu'un garde du corps était caché quelque part ?
Je me tus. Severo risquait de s'énerver sérieusement si je
poursuivais mon interrogatoire. Mieux valait le laisser tranquille. Il lisait à mi-voix et son parfum, qui sentait légèrement
la marijuana, me soulevait le cœur. Le géant sortit du bureau
cinq minutes plus tard, un sourire radieux aux lèvres. Je le vis
glisser une grosse liasse de billets verts dans la poche de sa
veste. Il broya ma main dans la sienne avant de partir.

– Entrez, souffla Severo.

Arminda devait avoir trente-cinq ans. Elle avait les cheveux
d'un noir de jais et une peau d'albâtre. Sans être fins, ses
traits étaient agréables. Dans son visage plein et sensuel, ses
yeux noirs et veloutés se posaient sur ses interlocuteurs avec
une pointe de dédain. Ses lèvres étaient aussi charnues que
celles des figures de proue. Elle portait un pull bleu sur un
chemisier assorti et une jupe qui laissait voir des jambes bien
tournées. Ses mains de femme prévenante s'agitaient nerveusement. Je lui tendis mes quelques grammes d'or et ne pus
m'empêcher de rougir. D'un geste précis, elle déboucha un

petit flacon posé devant elle et plaça les pépites dans une soucoupe. Elle renversa l'acide dessus et attendit le résultat.

– C'est de l'or à vingt-quatre carats, déclara-t-elle. Dix grammes. À dix dollars le gramme, ça vous fait cent dollars ou trois cent quatre-vingt-six pesos. Cela vous convient ?

– Je n'irai pas loin avec ça.

– Tout dépend de là où vous voulez aller. Vous êtes revendeur ?

– Non. Mon père m'a donné cet or en me recommandant de le multiplier comme les pains du Nouveau Testament, mais avec la crise, je ne vois pas bien comment imiter les miracles du Seigneur…

Elle partit d'un petit rire sympathique et ouvrit un des tiroirs du bureau. Elle compta cinq billets de vingt dollars qu'elle posa devant elle, vida l'or dans un coffret de la taille d'une boîte à chaussures et rangea le tout dans un autre tiroir. Le coffre-fort était entrouvert, laissant voir des lingots et des bourses plus ou moins grosses contenant sans doute des pépites ou de la poudre d'or. J'avais la gorge nouée. Le trésor du capitaine Flint ne m'aurait pas fait davantage envie.

– C'est très gentil à vous. Un jour, je repasserai peut-être avec quelques grammes supplémentaires, murmurai-je.

Dans le décor japonisant de son bureau, Arminda donnait l'impression d'être puissante et sûre d'elle. J'ignore si c'était dû à la fortune qui se trouvait là ou à ses jambes magnifiques, mais j'avais une légère érection. Je la laissai entourée de ses trésors et sortis.

Severo passait l'aspirateur sur le parquet de la salle d'attente en fredonnant une chanson des Kharkas.

– Bonne soirée, maugréa-t-il en s'empressant de me montrer la porte.

Je ne répondis pas. J'étais ailleurs. Je me disais que la vie est injuste, qu'elle comble une petite poignée de gens de richesses et berce les autres d'illusions. Je traversai la rue et m'adossai à

la porte d'une échoppe de fruits. D'un geste théâtral, gémis-
sante, une Indienne au visage douloureux me tendit des
bananes. Je l'ignorai. J'allumai une cigarette et repris mes
esprits avant de retourner au Luribay.

C'était la mauvaise heure. L'odeur des ivrognes aurait pu
servir à mettre à feu une fusée spatiale.

– Personne ne soulèvera mes jupes ! criait une femme en
haillons coiffée d'un bonnet.

– Silence ! *Amukim* ! hurla le patron en espagnol et en aymara,
histoire que les choses soient claires pour tout le monde.

La femme lui adressa un regard furtif et baissa la tête.

– Je vous sers la même chose que tout à l'heure ? me
demanda Yujra en penchant vers moi son visage déformé.

– Oui, un huislulu avec beaucoup de cannelle, s'il vous plaît.

Je me réinstallai devant la fenêtre. Un excellent poste
d'observation. De là, je continuai d'épier les gestes gracieux
d'Arminda.

Je ne pus l'espionner longtemps car elle tira les rideaux, me
laissant sur ma faim. Elle faisait probablement ses comptes.

J'éprouvais la même exaltation que lorsque, des années
plus tôt, mon père m'avait emmené voir la mer pour la première fois. Comme alors, l'horizon me semblait soudain
dégagé, débarrassé des gros nuages gris qui me faisaient toujours de l'ombre. Une sensation énergisante et magique
m'envahit. Avec un peu de chance et d'intelligence, je pourrais peut-être envisager un braquage et dire adieu aux frustrations qui me minaient depuis la dernière lettre de mon fils.

Pour être franc, je n'avais pas l'étoffe d'un voyou. Dans mon
enfance, quand nous jouions aux gentils et aux méchants, je
voulais toujours être du côté des gentils. Si l'on me forçait à
jouer les gangsters, j'étais pitoyable. J'ai toujours été un
looser repentant. Plus tard, après l'aller simple d'Antonia
en Argentine, des amis m'avaient proposé de transporter
deux kilos de cocaïne jusqu'à Buenos Aires. J'avais refusé,

craignant de finir derrière les barreaux. J'avais préféré me lancer dans la contrebande minable, exercer une activité où je ne risquais ni ma peau ni mon argent. J'étais un homme tranquille, sans grande ambition. Mais pour la première fois de ma vie, je me sentais prêt à jouer le tout pour le tout.

En réalité, je n'avais pas grand-chose à perdre. Si je me faisais prendre, on me mettrait à l'ombre pendant cinq ans, je tremperais l'horrible pain des prisonniers dans un immonde café et me nourrirais de bouillie pour chiens en côtoyant la pègre de La Paz. Si je parvenais à voler ne serait-ce que mille dollars pour payer l'agence de voyages, ma vie connaîtrait un nouveau tournant.

« Opération Lazare, mon vieux. Lève-toi et marche. »

Je vidai avec enthousiasme mon quatrième huislulu. Je m'apprêtais à commander le cinquième à l'ancien boxeur quand je vis la lumière s'éteindre chez Arminda. Je réglai ma note en vitesse et me frayai un passage parmi les paumés du Luribay. Passage Ortega, je me cachai à l'intérieur d'une échoppe de chaussures importées, non loin d'une Indienne qui, sans maquillage, aurait pu tenir le rôle de Néron. Je n'arrivais pas à me faire à l'idée que Severo et Arminda allaient rentrer chez eux chargés d'or sans un garde du corps pour assurer leur sécurité. Il y aurait forcément un troisième homme, au moins pour les accompagner jusqu'à la rue Tumusla, à une cinquantaine de mètres de là. Peut-être allaient-ils emprunter la rue Max Paredes, plus proche.

La nuit tomba sur la ville. Noire, sombre et silencieuse. Il n'y avait pas un chat dans le passage Ortega, sans doute à cause du match de football. Le Tigre, l'équipe de La Paz, jouait. Malgré la multitude d'ampoules suspendues aux bâches des stands et à la porte des boutiques, la lumière était plutôt diffuse et favorable à une agression soudaine et violente. Des images de romans noirs où j'endossais le rôle du méchant défilaient dans ma tête.

À ma grande surprise, je constatai qu'Arminda et Severo
étaient seuls. Elle portait une mallette comme celle de James
Bond, et lui, un banal sac de marin. La scène me parut d'une
naïveté sans bornes car tout le monde savait qu'ils transportaient une fortune. Je les suivis en gardant mes distances, me
dissimulant parmi les quelques flâneurs.

Ils gagnèrent l'angle du passage Ortega et de la rue Tumusla.
Élémentaire, mon cher Watson, me dis-je, une voiture les
attend. Je m'avançai à quelques mètres à peine, dissimulé derrière un clochard emmailloté de chiffons. J'avais décidé de
prendre des risques. D'un air détaché, Arminda parlait du mauvais temps qui s'annonçait. Severo regardait le ciel sans étoiles.
Soudain, il leva le bras pour héler un taxi. Ils montèrent à
l'avant. Un couple de tourtereaux s'embrassaient à l'arrière,
laissant une place vacante. Sans y réfléchir à deux fois, je
m'engouffrai à mon tour dans le véhicule et m'assis à côté d'eux.

– Rue Ballivián, à l'angle de la rue Colón, indiqua Arminda.

– Et vous ? demanda le chauffeur en me regardant dans le
rétroviseur.

– Je descendrai là moi aussi, répondis-je en contrefaisant
ma voix.

La Paz est une ville paisible. Malgré la misère et l'alcoolisme, la violence et les vols y sont moins fréquents que dans
d'autres capitales d'Amérique du Sud. Il est très rare
d'entendre parler d'un hold-up à main armée en Bolivie.
Cependant, Arminda et Severo tentaient le diable en trans-
portant autant d'or et d'argent sur eux. Surtout dans ces
quartiers populaires. Or à cet instant précis, le diable, c'était
moi, un diable terrifié, mais décidé.

Le chauffeur, un bulldog cuivré, se défoulait sur la boîte de
vitesses, agacé d'être coincé dans un embouteillage.

– Je vais vous déposer ici. Je dois laisser le taxi à Miraflores,
nous annonça-t-il place Murillo.

– Pas de problème, dit Arminda.

Elle et Severo se dirigèrent vers la rue Ballivián. Je les regardai s'éloigner, puis m'aperçus que le chauffeur me fixait en fronçant les sourcils, peu amène.

– Je descends, ne vous inquiétez pas.

Arminda et Severo marchaient vite et ils faisaient bien. J'avais peine à les suivre. Ils s'arrêtèrent devant une bijouterie tandis que je me dissimulais derrière un kiosque à journaux. J'achetai un chewing-gum. L'épais manteau d'Arminda ne parvenait pas à dissimuler son déhanchement provocant. Au coin de la rue Colón, ils tournèrent à droite. Je pressai le pas. Ils passèrent sous le porche d'une maison vétuste d'un étage dont le stuc, par endroits, s'effritait et laissait voir des blocs entiers de torchis. J'attendis un moment dans la rue, exposé au vent et au froid. Ce n'était pas une bonne heure pour les espions furtifs. Je me consolai en songeant que les quatre huislulus que j'avais bus m'avaient préparé aux intempéries.

Severo ressortit à peine cinq minutes plus tard, sans son sac. Il commença à redescendre la rue en affichant le sourire satisfait d'un homme qui a accompli son devoir. Il s'arrêta bientôt dans un boui-boui, *Don Otto*, et consulta d'un air hautain le menu punaisé à un mur. Arminda était restée dans la vieille maison. Je rebroussai chemin et franchis à mon tour le porche, qui débouchait sur un petit patio colonial. En son centre s'élevait une fontaine à sec envahie d'herbe jaunie.

Un cordonnier avait installé son stand en bois sous le porche. C'était un petit homme débraillé aux cheveux gominés à la Rudolf Valentino. Il était en train de changer des semelles, faiblement éclairé par une ampoule couverte de mouches, et était si absorbé par sa tâche qu'il ne me vit même pas passer à deux mètres de lui. Ses coups de marteau auraient pu couvrir le bruit d'une charge de rhinocéros. Une galerie de verre enchâssé dans des ferrures anciennes entourait le patio. De vieilles enseignes indiquaient que le rez-de-chaussée était

occupé par des commerces, fermés à cette heure-là. Des
escaliers de pierre menaient à l'étage, divisé en deux appartements. Des gamins poursuivaient un pauvre chien boiteux
dans ce qui avait peut-être été un jardin autrefois. L'un des
appartements, sans doute celui d'Arminda, était silencieux.
Si elle était la mère de tous ces enfants, j'allais devoir
renoncer à mes projets. Voler une famille de six personnes
était impossible à La Paz. D'un autre côté, si elle vivait seule,
j'ignorais quel genre de surprise me réserverait le destin.

J'allumai une cigarette. J'avais besoin de réfléchir. Braquer
cette femme était une folie, le fruit des rêves avortés d'un type
inoffensif qui considérait les romans de Chandler, Himes,
Hammett ou Montalbán comme des écrits prophétiques. Je
n'avais pas assez de cran pour agresser Arminda. Pourtant,
une force maligne et jusqu'alors ignorée me poussait à poursuivre ce qui ressemblait davantage à une aventure du
Quichotte qu'au plan soigneusement préparé d'un cambrioleur professionnel. Je décidai de regagner la rue et repassais
devant le cordonnier lorsque je vis une magnifique Mercedes
bleue s'arrêter devant le porche. La portière arrière s'ouvrit,
un homme en élégant manteau gris descendit. Je ne distin-
guais pas les traits de son visage, caché par les revers de son
col. Instinctivement, je regardai le cordonnier et fis ma plus
parfaite tête d'imbécile en entendant le bourgeois s'approcher et l'artisan le saluer d'un air bourru. L'éclairage sinistre
du porche me permit de passer inaperçu. L'homme traversa
le patio et emprunta l'escalier situé sur la gauche. Il frappa
trois coups à la porte. Un signal convenu à l'avance, sans
doute. Une main de femme se glissa dans l'entrebâillement et
l'attira à l'intérieur. Le geste, lent et sensuel, était digne d'un
film de Carol Reed. Le cordonnier, qui était peut-être sourd
mais fonctionnait au radar, comme les chauves-souris,
m'adressa la parole sans m'accorder un regard.

– Vous désirez ?

– J'aimerais me faire poser des semelles.

Je m'installai sur un siège, face à son stand.

– C'est quatorze pesos.

– Pour chaque pied ?

– Évidemment.

Il me montra enfin ses yeux, opaques comme ceux d'un vieux chat. Je lui tendis mes chaussures qu'il examina en les tournant et en les retournant plusieurs fois. Il portait des lunettes aux verres épais.

– Depuis quand avez-vous ces chaussures ?

– Je les ai achetées en 78, pendant la Coupe du monde de football en Argentine.

– La Bolivie n'a même pas été qualifiée.

– Je les achetées en 78, mais je n'ai pas joué au foot avec. Ce sont des Plus Ultra.

– C'était une bonne marque. On ne fait plus d'aussi bonnes chaussures aujourd'hui. Vous avez souvent changé les semelles ?

– Je ne m'en souviens plus.

Il sentait le dissolvant à plein nez et je n'avais pas besoin de plus pour savoir qu'il planait.

– Je vais vous mettre une semelle antidérapante, sans quoi vous risquez gros dans les rues.

– Cette maison est l'une des plus anciennes de la ville, on dirait.

– Il paraît qu'elle appartenait à Ismael Montes. On ne peut pas la démolir parce qu'elle fait partie du quartier historique. Tant mieux pour moi et les artisans qui se sont installés au rez-de-chaussée. Les loyers sont si chers maintenant !

– L'homme qui vient d'entrer est le propriétaire, n'est-ce pas ?

– Lui ? Non. La propriétaire est une sale bonne femme qui vit à Arica. C'est un simple locataire. Mais il n'habite pas ici. Il y a juste sa garçonnière. J'en ai vu défiler des paires de fesses,

vous savez. En ce moment, il fréquente une petite grosse, il la
voit une heure par jour.

– Vous travaillez tard ?

– Aujourd'hui, j'ai perdu du temps sur des bottes texanes.
C'est un ami qui vit au Nouveau-Mexique qui me les a appor-
tées. En général, je rentre chez moi à huit heures et demie,
parfois avant.

– Apparemment, ce gars a trouvé un bon plan.

– En une heure, il lui fait deux fois l'amour.

Il tordit sa mâchoire pour esquisser un sourire moqueur,
une lueur malicieuse dans les yeux.

– Ces bourgeois ne dégainent qu'une fois, objectai-je. Ils
sont tellement égoïstes qu'ils ne risquent pas de se fendre
d'un extra.

Il éclata de rire en commençant à marteler ma seconde
chaussure. J'en profitai pour aller jeter un coup d'œil à l'intérieur. Les lieux étaient silencieux, les gamins partis dîner.
L'homme à la Mercedes et Arminda aimaient la discrétion.

Dix minutes plus tard, le cordonnier me rendait mes souliers. Mes idées absurdes venaient de me coûter la bagatelle
de vingt-huit pesos…

Je descendis la rue Colón. Le cordonnier avait raison. Sans
semelles antidérapantes, je risquais de me casser le coccyx
dans les rues escarpées de La Paz. Devant la gargote de chez
Don Otto, je vis Severo dévorer une apétissante brochette de
porc accompagnée d'une portion pantagruélique de frites. Il
engloutissait son dîner sans détacher les yeux de la telenovela
qui passait à ce moment-là à l'écran. Il avait arrosé son repas
d'une bouteille de bière. Pour être plus à l'aise, il avait retiré
sa veste, suspendue au dossier de sa chaise. Je crus un instant
qu'un portefeuille en cuir dépassait de sa poche, mais il
s'agissait en fait de la culasse d'un revolver. L'homme de
confiance d'Arminda était armé. Inutile de me creuser davantage les méninges : il assurait sa protection. Personne n'aurait

parié sur ses airs de bêcheur, pourtant, Severo était bel et bien un malfrat déguisé en employé. Il devait viser aussi bien qu'il dépoussiérait les meubles de son bureau.

Je poursuivis mon chemin jusqu'à l'angle des rues Colón et Comercio. J'étais perdu comme un Touareg en pleine mer. Je n'avais jamais eu autant d'argent à portée de main, mais le jeu auquel je jouais risquait de devenir réel et j'étais mort de peur rien que d'y penser. Je remontai la rue Colón, me postai devant la porte close de l'église du Carmen. Le lieu était désert, à l'exception de trois mendiants qui cuvaient leur alcool. Il faisait de plus en plus froid. Je pouvais entendre le grondement de la foule dans le stade de Siles. Rue Ballivián, je trouvai une pharmacie ouverte. Le patron, un petit gros au crâne dégarni, regardait le match d'un air optimiste. Une vieille prostituée édentée faisait le trottoir sans grand espoir d'attirer le client. Elle me demanda l'heure.

– Vous ne voulez pas bavarder un instant ? murmurai-je après avoir consulté ma montre.

Elle me dévisagea comme si j'étais un extraterrestre.

– De quoi voulez-vous parler ?

– Je viens de province et je me sens un peu perdu. Ça fait une semaine que je n'ai pas discuté avec quelqu'un.

Elle sourit, cachant pudiquement sa bouche. Trente ans plus tôt, elle avait dû être très belle.

– D'où venez-vous ?

– D'Uyuni.

– C'est où ?

– Dans le sud du pays. Il y fait plus froid qu'ici.

– Brrr… Moi, je suis originaire du Chaco. Il fait chaud là-bas. Vous n'y êtes jamais allé ?

– Qu'est-ce qu'on peut bien faire dans cette région ?

– Pêcher dans le Pilcomayo, par exemple.

– Quand vous serez à la retraite, vous y retournerez ?

– Moi ? À la retraite ?

– Vous ne travaillez pas ?

– Ne faites pas l'idiot. Et vous, vous faites quoi ici, dans la rue ?

– Rien.

– Ça vous dirait d'aller faire un tour ?

– Avec ce froid, pas vraiment.

– Je vous réchaufferai…

Elle releva légèrement sa jupe pour me montrer des jambes très musclées.

– C'est tentant, mais je ne peux pas.

– Vingt pesos et vous payez la chambre.

– Vous avez dû être très jolie. Vous l'êtes encore, d'ailleurs.

Elle sortit une photo de son sac à main.

– J'avais quinze ans.

Je ne m'étais pas trompé. C'était – ç'avait été – une belle adolescente aux joues rebondies et au visage plein de promesses. Je regrettais d'avoir entamé la conversation. Ce cliché me déprimait.

– C'est sûrement une longue et triste histoire.

– La mienne ? Pas trop. Je ne regrette rien. J'ai eu de bons et de mauvais moments, surtout maintenant. Quand on est vieux, la vie devient difficile. Ce qui compte, c'est de savoir profiter de sa jeunesse. Ensuite, on a juste besoin de quelques pesos pour manger. Bon, j'y vais. Si je ne me fais pas au moins un client, demain ne sera pas rose.

Elle s'éloigna, majestueuse dans son manteau alourdi par le poids des ans et des larmes. Vers vingt-deux heures, la Mercedes réapparut, profilée comme un félin dans les lueurs lunaires, rutilante et furtive. Elle s'arrêta. Le chauffeur donna trois coups de klaxon avant de couper le moteur. J'eus à peine le temps d'uriner contre un mur que le riche propriétaire de cette merveille se dirigea vers son véhicule en portant le sac de Severo. Il y monta si vite qu'une fois encore je ne pus distinguer son visage. La Mercedes ronronna puis s'éloigna lentement.

La rue déserte accentuait l'impression de froid. Les cris de cinquante mille personnes s'élevèrent soudain du côté de Miraflores. Le pharmacien leva les bras au ciel. Le Tigre venait de marquer un but. Severo sortit de chez *Don Otto* d'un pas nonchalant et remonta la rue Colón pour disparaître sous le porche de la vieille maison où se trouvait Arminda. J'étais à nouveau seul. J'avais mal au ventre et envie de pisser. Un luxe que je devais remettre à plus tard. Mes nerfs me jouaient un mauvais tour. J'entrai dans la pharmacie et achetai de l'Alka-Seltzer.

– Deux à un, m'annonça le pharmacien, ravi, en me tendant un demi-verre d'eau. Il ne reste plus que cinq minutes avant la fin du match.

J'aperçus alors Severo et Arminda. Elle serrait sa mallette sous son bras droit. Ils attendaient sûrement un taxi. Les va-et-vient étaient presque terminés, mais les interrogations se multipliaient dans ma tête. Je posais les questions, formulais les réponses, m'égarais dans un labyrinthe de déductions et de suspicions. Je n'avais plus l'esprit très clair. Tout le problème consistait à savoir si je devais ou non continuer. J'avais besoin de boire un verre.

Je me dirigeai vers le nord de la ville, là où la nuit jette son manteau noir sur la misère, la promiscuité et le désespoir.

DEUXIÈME PARTIE

Il y avait trop de monde, trop de bruit pour réfléchir tranquillement dans cette Calcutta bolivienne. Mes pas me conduisirent rue Figueroa, tout près de la place Alonzo de Mendoza, dans un bar : *El Yungueño*. Un de ces établissements constamment bondés d'ivrognes qui ont toujours quelque chose à fêter, que ce soit leur misère ou leur joie. Au comptoir, une grande femme brune à la silhouette ondulante buvait en compagnie de deux minables en pull et jean. Elle m'adressa un clin d'œil entendu, à l'insu de ses compagnons, sans doute des maquereaux des bas quartiers qui surveillaient leur protégée. La patronne était une femme forte et débraillée qui n'avait rien à envier à un chauffeur de poids lourds. Elle me servit une bière avant même que j'aie passé commande.

Je me perdis dans mes pensées, songeant qu'il me fallait prendre une décision rapidement. Tout d'abord, acheter une matraque. Il était hors de question d'acquérir un pistolet, c'était au-dessus de mes moyens. Une fois en possession de la matraque, il me faudrait suivre un plan plus ou moins rationnel. L'idéal était de surprendre Arminda seule, sans Severo. Ce type n'aurait aucun scrupule à me faire sauter la cervelle. Que je commette ce vol pendant les heures de bureau, alors que les vendeurs patientaient dans la salle d'attente, était donc exclu. Restait une seule possibilité : agresser Arminda une fois que son apprenti gorille l'aurait laissé seule dans la garçonnière de son amant, juste avant que celui-ci arrive en Mercedes.

J'étais persuadé qu'elle achetait l'or avec les fonds que lui remettait cet homme riche. Ils se retrouvaient ensuite à l'étage de la vieille maison pour échanger le précieux métal contre des dollars, qui servaient à leur tour à racheter de l'or. Inutile d'être aussi brillant que Stephen Hawking pour en arriver à cette conclusion. L'or ne m'intéressait pas, contrairement aux espèces sonnantes et trébuchantes.

Une autre prostituée rejoignit le groupe qui se soûlait au zinc. Elle était petite et grassouillette et avait des allures de clown triste. L'un des maquereaux lui caressait le dos avec la délicatesse d'un ours. J'aurais bien aimé avoir un complice qui me permette d'y voir plus clair, mais je devais agir vite. Et seul. J'avais pourtant toutes les peines du monde à me concentrer sur mon plan : un esclandre s'était déclenché dans la rue. La police venait d'arrêter un pickpocket ivre qui avait pris la fuite après avoir arraché son sac à une femme. Les agents l'embarquèrent et partirent en faisant hurler leur sirène comme s'ils venaient de capturer l'un des grands chefs du cartel de Medellín.

L'ambiance était devenue pesante. J'eus une envie soudaine de manger un plat typiquement bolivien. Je me dirigeai vers le marché Uruguay et m'installai à un stand de fortune, prêt à déguster un poulet à la sauce piquante qui se révéla trop relevé à mon goût et que je dus arroser d'une bière. Une Indienne enveloppée dans une couverture en alpaga et vêtue de jupes vert émeraude me servit une louche de pommes de terre sautées censées calmer le feu qui me ravageait l'estomac. Des marginaux et des ouvriers mangeaient des tripes et de l'agneau à deux pesos l'assiette. Après un café fort mais délicieux, je me sentis mieux. Une bonne promenade s'imposait. Je choisis

l'avenue Buenos Aires, l'artère la plus contrastée, la plus fréquentée et la plus exotique de la ville. Je commençai ma balade
par le tronçon qu'occupaient les bouchers, les volaillers et les
tripiers, les marchands de fruits et de feuilles de coca des
Yungas, puis déambulai au milieu des boutiques des disquaires
et des vitriers, des confiseries et des épiceries. À leurs portes
trônaient d'impressionnants sacs de riz, de maïs et d'épices. Je
flânai ensuite devant les objets artisanaux en cuir, les pâtisse-
ries spécialisées dans les gâteaux de mariage, les boutiques de
chaussures.

Vers vingt-trois heures, près du pont Abaroa, j'observai les
soûlards qui abordaient maladroitement les putes indiennes
cachées derrière de gros ballots de bananes et d'ananas.
J'étais fourbu, mais j'avais envie de me fatiguer davantage. Je
ne rêvais que d'une chose : cesser de penser au visa et au vol
que j'avais planifié. C'était la seule manière d'espérer passer
une nuit paisible. Je regardais les échoppes des barbiers à
trois pesos, les vendeurs de papier hygiénique, les bourreliers, les gigantesques poids lourds, les manutentionnaires qui
portaient des paniers remplis de manioc et de piment rouge.
J'errais sans but précis entre les glaciers, les marchands de
canettes d'alcool, de tissu, de poulets rôtis, les bars miteux où
les clochards fument de la *pasta base**.

– Mario ! Mario !

Devant une porte, une jeune femme me faisait signe. Elle
portait une tenue des plus excentriques.

– Moi ? demandai-je en pointant mon index sur ma poitrine.

– Oui. Vous ne me reconnaissez pas ?

Je crus avoir une hallucination. Elle marchait dans ma
direction, le sourire aux lèvres, clignant des yeux tel un
Pierrot dans un numéro de cirque.

* Drogue bon marché dérivée des résidus de cocaïne. (*NdT*)

– C'est moi, Gardenia.

– Gardenia ! Mais qu'est-ce que vous faites ici ?

– On se retrouve souvent dans ce bar pour boire de l'*api** et manger des empanadas avec les copines. Allez, venez, je vous invite.

J'essayai de m'esquiver. Gardenia, avec des manières efféminées et une poigne d'adolescent, me prit par le bras pour m'entraîner à l'intérieur. La scène qui m'attendait dépassait de loin tout ce que j'aurais pu imaginer : dix travestis occupaient quatre tables. Gardenia me présenta Félix, le patron des lieux, un homme au teint blafard et aux cheveux bouclés, prototype du vieil homosexuel qui, après avoir mené une vie de patachon pendant des années, décide de se ranger en tenant un bar fréquenté par des jeunes folles dont il supervise plus ou moins le travail.

– Ravi de faire votre connaissance, dit-il en détachant chacune de ses syllabes.

Légèrement empâté, vêtu avec discrétion, il avait l'air obsédé par l'hygiène avec sa raie au milieu et sa peau extrêmement soignée. Il avait un regard malicieux et joueur. D'après mes calculs, il avait su passer le seuil de la soixantaine en gardant l'espièglerie d'une jeune fille polissonne.

– Félix fait des empanadas à se damner, déclara Gardenia.

Le Félix en question m'avança une chaise à la table de Gardenia.

– Laissez-moi vous offrir un api, proposa-t-il en s'éloignant.

– Ça fait bizarre de vous voir ici, dit Gardenia.

– J'ai trop mangé. Un poulet à la sauce piquante qui a du mal à passer. Je ne savais pas qu'on pouvait croiser des gens pareils en pleine avenue Buenos Aires. D'où sortent tous ces travestis ?

---

* Boisson chaude à base de maïs. (*NdT*)

– Il y en a à la pelle, lâcha Gardenia d'un ton ironique. Des Indiens qui adorent s'habiller en filles.

– D'après ce que je vois, vous êtes le seul Blanc, et aussi le seul à ressembler vraiment à une fille... Les autres sont des personnages de carnaval.

– Ne soyez pas si dur... Il y en a quand même qui font illusion.

– Ceux qui tombent dans le panneau ont dû boire une demi-bouteille de pisco.

Gardenia gloussa. Pour la première fois, je le regardai de plus près. Il – ou elle – mesurait comme moi 1,75 mètres. C'était un homme à la beauté singulière : des yeux marron bordés de très longs cils qui ressemblaient aux pattes d'un moustique, un nez aquilin qui ne détonnait pas dans ce visage aux traits subtils. Sa bouche grande et charnue aurait pu être celle d'un mannequin africain. Il portait un pull pourpre discret et un pantalon blanc qui aurait parfaitement convenu pour une promenade en bord de mer. Ses mains, délicates et caressantes, ne restaient jamais immobiles. Elles me rappelaient celles d'une de mes cousines, qui brodait des nappes.

– Un api et je peux dire au revoir à mon foie, murmurai-je.

– Vous, vous avez l'impression d'être déjà vieux.

– Assez en tout cas pour ne pas forcer sur cette boisson. Dites-moi, Gardenia, auprès de tous ces Indiens du quartier, vous devez faire figure d'ange descendu sur terre. Ne me dites pas que pour quelques pesos vous passez un moment avec eux...

– Je ne viens ici que pour voir mes amies et certaines connaissances de Félix, des vieillards mariés qui sentent la naphtaline et sortent de temps en temps. En fait, je travaille dans le quartier de Sopocachi, dans une maison fréquentée par des élégants.

– Et eux ? demandai-je en désignant les autres travestis.

– Vous les trouverez place Kennedy, rue Evaristo Valle ou place Estudiante. Ils font des passes à vingt pesos.

Il mit une main devant sa bouche pour étouffer un petit rire. J'optai pour le tutoiement :

– Antonio m'a dit que tu faisais partie du gratin de Sucre.

– Oui. Je viens d'une famille comme il faut qui est partie à Montevideo. Avant, nous habitions Sucre. Un jour, mes parents se sont aperçus qu'il n'y avait rien à faire avec moi. Ils ne supportaient pas que je sois gay et auraient préféré que j'aie la lèpre. Autrefois, on nous traitait de pédés et de dégénérés. Maintenant, on dit que nous sommes malades ou invertis sexuellement.

Gardenia alluma nonchalamment une longue cigarette à bout doré, poison sophistiqué, à la manière de Greta Garbo.

– Ils t'envoient un peu d'argent, au moins ?

– Oui, un de mes oncles, trois fois par an : à Noël, pour mon anniversaire et pour la fête des Pères. Ils espèrent encore qu'un jour ou l'autre je finirai par épouser une bonne bourgeoise un peu stupide. Mais cet argent ne me suffit pas. Je crois que mon père ne sait pas qu'ici, la vie est chère.

– En gros, tu te débrouilles.

– Je vis seul depuis que j'ai passé mon bac. Mes parents m'ont envoyé faire des études d'architecture à São Paulo. Je suis tombé amoureux d'un pianiste nord-américain qui voyageait avec un groupe de rock. Je n'aimais pas l'architecture, je voulais être styliste. Je dessine bien et j'ai du goût. Quand mon père a appris ça, il m'a coupé les vivres. Et comme je ne réagissais pas, il m'a écrit que pour lui et pour toute la famille, j'étais mort.

– Donc, tu es mort.

– Je ne suis plus que l'ombre de moi-même. Tu n'as pas de préjugés, toi ?

– Je suis trop pauvre pour m'offrir ce luxe.

– Et ton visa, quoi de neuf ?

– J'ai une piste. Si ça marche, je pars. Sinon, je n'ai plus
qu'à me suicider.

– Tu ne parles pas sérieusement !

– Je pourrais boire vingt apis et manger quarante empanadas...

– Quelle vie de merde ! Moi, je suis parti à San Francisco avec le pianiste. Nous avions acheté un demi-kilo de cocaïne que nous avons très bien vendu, ce qui nous a permis de vivre correctement pendant un an. Puis il s'est enfermé dans son appartement pour préparer un concert. Ça a été un bide. Pendant ce temps, j'apprenais l'anglais et je suivais des cours de design industriel dans le textile. J'étais sans-papiers : je ne voulais pas rester aux États-Unis. Mon rêve, c'était d'aller à Barcelone. Je trouve cette ville vraiment plus sympa.

– Et ? Qu'est-ce qui s'est passé ?

– Le pianiste et moi, nous vivions ensemble, mais chacun avait le droit de faire ce qu'il voulait et de coucher à droite et à gauche. Un jour, la *migra** m'a coffré dans un bar gay. Elle m'a donné vingt-quatre heures pour quitter le pays. Je voulais aller en Espagne mais on m'a renvoyé ici.

– Mais San Francisco... ce n'est pas le paradis pour les gens comme toi ?

– Non, il y a trop de problèmes. Chaque homme est un problème. Trop de violence, trop de drogue. Ça ne me convient pas. Moi, je suis plutôt calme. J'aurais fait un bon pédé de village. Enfin, bref, quand je suis arrivé à Sucre, mes parents ont fait appel à un curé pour qu'il m'exorcise. Il n'a pas réussi. Ils ont alors contacté un guérisseur qui m'a plongé dans une baignoire d'eau glacée et m'a séché dans un bain de fumée. C'était débile !

* Police de l'immigration. (*NdT*)

Il pouffa de rire. Gardenia était charmant et je l'imaginais difficilement en train de batifoler au milieu de ses congénères.

– Ils n'ont pas abandonné pour autant et m'ont présenté une fille. Je l'invitais au cinéma et, pendant la séance, elle soulevait un peu sa jupe pour me montrer ses jambes. Elle était très jolie. Moi, je ne voulais pas qu'elle culpabilise, alors je lui ai dit la vérité. Elle a beaucoup pleuré et nous sommes devenues des amies. Mais comme si ça ne suffisait pas, mes parents ont demandé à un cousin de m'emmener au bordel. Je me suis retrouvé contre une grosse pute qui sentait mauvais et qui m'a fait la danse des sept voiles sans rien obtenir de moi. Pour finir, ils ont baissé les bras et m'ont fichu la paix.

– Mais les temps ont changé. Maintenant, les gays sont à la mode. On en voit dans le monde politique et les entreprises privées. Je crois que tu devrais arrêter de travailler et te trouver un riche homme d'affaires.

– J'aime l'action. Or, c'est dans la rue que ça bouge.

– Attention au sida.

– Il paraît qu'à cette altitude, le virus ne résiste pas. C'est vrai ?

– Je ne crois pas. Mais il faut te méfier des touristes.

– Ce sont des crevards qui veulent tout pour rien. Même pour baiser, ils sont colonialistes ! Moi, pour me tripoter, il faut payer ! s'exclama-t-il, feignant d'être offensé. Je pense toujours aller à Barcelone. Le monde commence là-bas.

– Tu auras du succès. Tu ne fais pas très latino.

– Latino… répéta-t-il en riant.

– Barcelone est loin, il paraît qu'on adore les Latinos de l'autre côté de l'océan.

– J'ai l'air d'un Français. En ce moment, je fais des économies. J'achète des marks dès que je peux.

– Quand j'étais jeune, j'avais des projets, moi aussi. J'étais amoureux, mon fils venait de naître et je voulais m'installer à

Córdoba, en Argentine. Ça ne s'est pas fait à cause de ma
femme.

Le mélange d'api, de poulet à la sauce piquante et de bière m'avait ballonné le ventre. Inutile de tenter d'aller aux toilettes dans ce bar, les travestis faisaient la queue pour s'y maquiller. L'appel de la nature étant malgré tout de plus en plus pressant, je dus sortir, prêt à me soulager dans un terrain vague. Je courus jusqu'à la rue Chorolque, là où s'élèvent les baraquements des marchands de bois. Je me vidai dans une ruelle, entre deux murs en torchis et sous les yeux d'un chien errant. J'avais un peu trop forcé sur la nourriture populaire ; je n'étais plus aussi résistant que par le passé.

Le vent soulevait des nuages de poussière et faisait tourbillonner des papiers qui allaient s'entasser devant les ateliers des bourreliers. Un petit groupe d'ouvriers ivres jetait des pierres sur les chiens affamés qui fouillaient dans les poubelles. Non loin de là, un chauffeur de taxi arrêta son véhicule. Il invita une Indienne à monter. La jeune femme regardait la voiture, à la fois impressionnée et honteuse, se demandant si tout cela allait finir par une agression sexuelle.

Je retournai au bar. Les travestis étaient surexcités. Ils allaient bientôt partir travailler et s'agitaient et piaillaient comme des perruches en cage. Gardenia eut la politesse de me présenter à ses amies. Je fis ainsi la connaissance de Lula, un gars de quatre-vingts kilos que le destin avait transformé en folle du même poids. Il ressemblait à un catcheur masqué et était manifestement le chef de toute la bande. Il avait un visage bouffi, des faux cils et les joues outrageusement poudrées. Il portait une veste en cuir, un pantalon qui moulait son derrière de cow-boy. Aux regards torves qu'il me lançait, j'en déduisis que ma présence ne le réjouissait pas vraiment. En quelque sorte, je violais son intimité et celle de ses compagnons qui affrontaient quotidiennement un climat hostile d'incompréhension dans une ville qui était devenue peu à peu un grand village. Ce bar était un refuge où ils pouvaient profiter d'une certaine liberté et s'afficher comme ils l'entendaient ; un univers miniature en marge du monde réel, trop totalitaire dans ses jugements de valeur hypocrites et arriérés.

La meilleure amie de Gardenia s'appelait Lourdes. Lourdes était fragile et mince, vêtue de noir de la tête aux pieds. Elle semblait porter le deuil.

– Lourdes coud elle-même ses vêtements. Elle a fait ses études à Rondonia, au Brésil.

À vrai dire, la combinaison de sa veste en cuir et de son pantalon en lamé noir qui découvrait ses mollets osseux et meurtris n'était pas une réussite. On aurait dit une vampiresse sortie tout droit du *Muppets Show*.

– Mario habite dans le même hôtel que moi. Il va bientôt partir aux États-Unis, leur expliqua Gardenia.

– Je le trouve un peu pâlichon, dit Lourdes.

– Il est nerveux à cause de son visa.

– Son visa ? Quel visa ? demanda Lula.

– Mario a peur de ne pas obtenir son visa touristique.

Lula commença à s'appliquer un vernis argenté sur les ongles. Des mains de plombier greffées sur un corps de gladiateur féminin...

– Je connais un militaire qui pourrait t'aider, proposa-t-il.

– Merci beaucoup, mais je crains que pour délivrer les visas, les gringos n'écoutent même pas leur propre conscience.

Des effluves de transpiration masculine me montaient aux narines. Un travesti plutôt grand, à la mine égarée, s'approcha de moi comme s'il marchait sur des braises. Il me servit un bouillon de poulet.

– Ça va vous remettre d'aplomb.

Il s'était teint les cheveux en châtain et avait laissé une mèche blanche au-dessus de son front.

– Les flics ! s'écria soudain Lula. On se tient bien !

Par la fenêtre, je vis arriver un fourgon policier de la brigade des Mœurs. Un agent en descendit. Métis aux yeux vitreux et au regard voilé, il avait de petites moustaches comme on en voit partout du Río Grande jusqu'en Patagonie. Lula s'avança vers lui pour glisser une enveloppe dans sa main. L'homme murmura quelques mots, fourra l'enveloppe dans sa poche et tourna les talons après avoir salué poliment Félix.

– Vingt pesos par tête de pipe, dit Gardenia. C'est le prix à payer pour assurer sa protection quotidienne.

– Au moins, vous pouvez vous promener sur les trottoirs sans craindre grand-chose.

– Bon, c'est l'heure du crime, j'y vais, annonça Gardenia.

Tous retouchèrent une dernière fois leur maquillage avant de partir travailler.

– Antonio est déjà venu ici ? demandai-je.

– Une fois. Heureusement qu'il se perd en ville, sinon il serait ici tous les jours.

– Ne me dis pas qu'il pourrait virer sa cuti à son âge…

– Non, mais il viendrait manger à l'œil, répliqua Gardenia en se regardant dans un petit miroir suspendu à une poutre.

Il se remit du rouge à lèvres et nous gratifia d'un déhanchement tahitien.

– J'espère que vous reviendrez, dit Félix après avoir salué la petite troupe.

La nuit avait chassé les derniers passants. Une chanson de Julio Iglesias s'élevait d'une radio lointaine. Lula resserra son pantalon en trépignant comme un taureau prêt à entrer dans l'arène.

– Allons-y, les filles.

– Et toi ? Qu'est-ce que tu vas faire ? me demanda Gardenia.

– Rentrer à l'hôtel.

– Le quartier devient dangereux, la nuit. Tu risques de te faire agresser.

Ils s'engouffrèrent dans un taxi en riant. Seule Gardenia resta avec Lourdes. Prenant apparemment plus soin de son derrière qu'Arminda ne veillait sur son or, il avait commandé une voiture avec chauffeur.

Je repris mon errance. Les mendiants et les ivrognes se relayaient pour me barrer le passage. Rue Max Paredes, les marchands de tissus coréens fermaient boutique, la journée avait été rude. De nombreuses Indiennes installaient déjà leurs stands pour le lendemain matin. Celles qui n'avaient pas d'échoppes fermant à clé étaient obligées de dormir à côté de leur marchandise. Les vendeurs des rues avaient investi les quartiers hauts de la ville et se battaient pour un bout de trottoir. Ils achetaient leur place aux services municipaux, qui les exploitaient. Celui qui ne payait pas la veille n'avait nulle part où s'installer le lendemain. Ce quartier oublié de Dieu ne disposant pas d'installations sanitaires suffisantes, beaucoup urinaient et déféquaient dans les caniveaux. Si les vents de l'Altiplano n'avaient pas été là, l'odeur aurait été insoutenable.

J'arrivai à l'hôtel épuisé. Dans le second patio, l'ancien gardien de but du Chaco décrivait les charmes de Santa Cruz au négociant en vins, qui ne le quittait pas des yeux, complètement hypnotisé. Les deux hommes étaient tellement absorbés par leur discussion qu'ils ne s'aperçurent même pas de ma présence. Je passai à côté d'eux et gagnai ma chambre. Quelques minutes plus tard, je dormais profondément.

Le lendemain matin, j'allai dans une quincaillerie, rue Eloy Salmón. Quand je demandai au commerçant, un Arabe à la mine renfrognée, s'il avait des matraques, il me répondit d'une voix aigrelette :

– Vous n'en trouverez certainement pas ici. Nous sommes un magasin respectable, monsieur, et nos clients sont des tra-

vailleurs : des ouvriers du bâtiment, des maçons, des maîtres
d'œuvre. Si vous voulez une matraque, allez voir du côté de la
rue Sebastián Segurola, dans le quartier des voleurs. Et s'il
n'y en a pas là-bas, allez à la prison, les prisonniers en
fabriquent.

– Ça ne vous semble pas incroyable d'ailleurs ?

– Il faut bien qu'ils gagnent leur vie.

Je n'avais aucune envie de me rendre à la prison de San
Pedro, de crainte de ne plus pouvoir en ressortir après y être
entré. Je remontai la rue Sebastián Segurola, où les vendeurs proposaient leur marchandise sur les trottoirs. Pour la
plupart, il s'agissait de petits magouilleurs, des durs à cuire
qui, l'air mauvais, attendaient le client en file indienne.
Après les avoir observés un moment, je constatai que les
acheteurs abordaient les vendeurs en demandant s'ils
avaient telle ou telle chose, puis le voyou appelait un gamin
qui allait chercher l'article. Le marchandage était âpre et ne
durait pas plus de dix minutes. J'arpentai toute la rue sans
aucun résultat : les matraques n'étaient plus à la mode. À
quelques mètres de l'avenue Buenos Aires, j'avais perdu tout
espoir, quand un Indien au visage sympathique s'approcha
de moi en souriant.

– Pourquoi souris-tu ? lui demandai-je.

– Qu'est-ce que tu cherches ?

– Une matraque et un diamant pour couper du verre.

– J'ai les deux.

– Où ça ?

Il m'invita à le suivre d'un geste indolent, se planta devant
un vendeur qui proposait des vidéos porno et des magazines
de charme des années quatre-vingts. À côté de lui, un homme
maigre aux yeux fuyants, le visage marqué d'une cicatrice
allant de l'oreille à la mâchoire, haussa les sourcils en me
demandant ce que je voulais.

– Une bonne matraque et un diamant, répétai-je.

Un sac était posé à ses pieds. Il l'ouvrit et, à ma grande surprise, j'y découvris tout un assortiment de triques, couteaux et diamants. Mon choix se porta sur une impressionnante matraque en plomb gainée de cuir. Afin de me prouver qu'il ne vendait pas de la camelote, le type la prit dans une main, ouvrit l'autre et s'assena sur la paume un coup qui aurait pu me mettre KO.

– Il faut frapper sur la nuque, sans quoi vous pouvez tuer votre homme.

– C'est combien ?

– Vingt pesos. Et cinq pour le diamant.

Il ramassa un bout de verre par terre et traça dessus une ligne imperceptible avec le diamant avant de plonger ses yeux dans les miens. Puis il brisa le verre d'un coup sec.

– Il vous faut également une ventouse, sinon le verre risque de tomber du mauvais côté.

Je lui tendis trois billets de dix pesos.

– Pour cinq pesos de plus, je vous donne une revue porno péruvienne.

– Non, ça ne m'intéresse pas.

Je glissai mes achats dans mes poches et pris le chemin de la gare. Place Kennedy, j'entrai dans un bar peuplé de gars minables, une pléiade de visages tristes qui auraient agacé un dignitaire SS. Je commandai une bière et croisai mon reflet dans un miroir vissé derrière le bar. J'avais l'air complètement ahuri. Je ne reconnus que mes yeux, qui semblaient attendre une réponse. Je souris, mais mon image ne bougea pas. C'était signe que je m'étais lancé très sérieusement dans ce petit jeu et qu'il n'était plus question de faire marche arrière ou de me perdre dans mes pensées.

J'éclusai ma bière. J'avais vraiment besoin de repos.

Je me réveillai sur le coup de seize heures. Je retrouvai Blanca en sortant de ma chambre. Elle feuilletait un magazine de mode dans le hall. Je lui demandai si elle voulait grignoter un morceau avec moi, ce qu'elle accepta avec un grand sourire.

Nous gagnâmes le centre-ville sans nous presser et entrâmes dans un café qui proposait une large gamme de plats des provinces de l'est du pays. Je commandai une boisson au tamarin et un riz au lait. Blanca prit une assiette de riz accompagnée de bananes plantain frites, d'œufs sur le plat et de bœuf. L'endroit était petit et propre, tenu par un joli brin de femme efficace originaire de Trinidad.

— Elle gagne des fortunes, ça ne désemplit pas de la journée, me dit Blanca.

— Tu pourrais monter ce genre de café dans ton village.

— Pour ça, il me faudrait cinq mille dollars.

— Je crois que je m'habituerais facilement à la chaleur.

— Il n'y a pas grand-chose à faire, là-bas, mais les gens sont gentils. Tu pourrais tenir la caisse, parce que moi, je suis nulle en calcul.

— Et mourir de ma belle mort couché dans un hamac, à regarder le vent bercer les herbes de la pampa du Beni. Ce serait le nirvana, Blanca, que pourrais-je demander d'autre ?

– Ce serait toujours mieux que de travailler comme un chien dans une ville américaine, répliqua-t-elle.

– Si mon fils n'était pas aux États-Unis, je n'hésiterais pas une seconde, mais je dois aller le rejoindre.

– Il n'a pas l'intention de revenir ?

– Pourquoi ? Pour se faire un nom dans ce pays, il faut se lancer dans la politique, le trafic de drogue ou marcher dans les magouilles du gouvernement. Je suis pauvre et sans avenir, je ne peux le pistonner nulle part. Non, il vaut mieux qu'il reste aux États-Unis. Même en tant que simple ouvrier, il ne sera pas à cours d'argent.

– Moi, je veux vieillir paisiblement. J'ai une vie trop rude en ce moment.

– À te voir, on ne dirait pas. Tu ressembles à une petite enseignante qui débute dans le métier.

– Je peux te retourner le compliment.

Passer le restant de mes jours avec Blanca n'était pas une mauvaise idée. Elle saurait être à la fois une amante, une mère et une infirmière. Elle était facile à vivre, parlait peu et jamais pour ne rien dire. Elle avait la sérénité des grands fleuves de sa région et le calme de la savane écrasée de soleil. Sa compagnie me détendait. Elle n'était pas très cultivée, mais je m'en moquais. Une femme intelligente, simple, et qui avait du courage et de la patience à revendre… Si je l'avais rencontrée dix ans plus tôt, je ne serais pas dans l'impasse. Pour la convaincre et changer mon avenir, il me suffisait d'un mot, de renoncer à ce visa et de cesser de ressasser ce mauvais scénario censé me permettre de dépouiller Arminda. Seulement, l'idée du braquage était bien ancrée en moi, comme un arbuste solidement enraciné dans la toundra, une obsession maudite. Et au fil des heures, cette obsession grandissait et m'étouffait.

Nous nous étions arrêtés en face du ministère des Affaires étrangères. Un fonctionnaire habillé comme un acteur de théâtre nous lança un regard méprisant. Sur la place, Blanca me prit la main. On aurait pu nous prendre pour des amoureux.

De retour à l'hôtel California, Blanca se retira dans sa chambre. Elle voulait prendre une douche et essayer un short en Lycra qu'elle venait de s'acheter. Elle m'invita à passer la voir dans sa tenue de combat, mais je préférais m'isoler et me préparer psychologiquement à mon premier braquage. Je m'allongeai sur le lit en essayant de songer à un film, un feuilleton ou un roman noir qui puisse me donner une idée de ce que je devrais porter pour commettre mon forfait. Dans ces cas-là, les Anglais s'habillent généralement de manière décontractée. Des vêtements ordinaires permettent sans doute de duper la police. Les Américains, eux, sont le plus souvent en veste afin de mieux dissimuler une arme. Ne disposant que d'une vulgaire matraque, je choisis l'élégant prince-de-galles que je m'étais offert pour aller au consulat. Je devais avoir l'air raffiné. Ce complet m'aiderait à passer pour un autre aux yeux d'Arminda, de Yurja et du cordonnier de la rue Colón. Tous trois m'avaient vu modestement habillé.

Je me rasai. Je découvris dans le miroir un homme au teint pâle, aux sourcils broussailleux, au nez fin et droit, à la bouche sans grande personnalité, mais dont le menton légèrement proéminent plaisait aux femmes. Mon front haut était sillonné de rides qui convergeaient vers une sorte de delta. Quelques cheveux blancs avaient fait leur apparition et ma peau réclamait à grands cris une crème hydratante. J'avais un visage ordinaire, de ceux qu'on oublie juste après les avoir vus. Seule ma moustache, que j'avais toujours entretenue avec soin, comme une orchidée rare, me donnait une certaine touche de distinction. Ses pointes remontaient légèrement, à la manière de celle d'Hercule Poirot, chose peu fréquente dans cette région des Andes. Elle n'avait rien d'une moustache mexicaine, argentine ou brésilienne ; j'avais davantage l'air d'un

Français ou d'un Belge. Pendant l'amour, les femmes me disaient qu'elles l'adoraient. Elle parait ma figure d'un charme énigmatique.

Je quittai l'hôtel à pas de loup. Ni les filles, qui regardaient une telenovela brésilienne, ni le gérant, occupé à persuader cinq touristes italiens des commodités de l'hôtel, ni le groom, chargé de mettre un cireur de chaussures dehors, ne me virent sortir. On ne pouvait rêver mieux. Je m'engageai dans la rue Illampu et, en quelques minutes, gagnai la place Eguino. Il était dix-neuf heures. Je m'installai à la terrasse d'un café appelé curieusement *Le Stephanie*. En fait de terrasse, il s'agissait de deux tables disposées sur le trottoir qui donnait sur la place. À côté de moi, un jeune couple se tenait la main en se murmurant des mots doux devant une glace baignée de chocolat crémeux. Une serveuse au tablier taché de graisse vint prendre ma commande.

– Une bière glacée, s'il vous plaît.

La fin d'après-midi était claire et ensoleillée. Au centre de la place, des prédicateurs chantaient un air de rock : s'ils continuaient à prêcher de la sorte, les catholiques seraient bientôt minoritaires en Amérique latine. Ils céderaient la place à ces chanteurs qui proclamaient leur foi dans les rues, se mêlaient au peuple pour raconter des histoires simples, mais séduisantes. J'ignorais tout de qui les finançait, mais après tout, nous vivions à l'époque de l'économie de marché.

– Et voilà. Une bière et un *tamal**.

– Je n'ai pas commandé de tamal.

– Ils sont gratuits aujourd'hui. C'est la première fois que nous en faisons. Profitez-en, ça ne durera pas.

* Sorte de pâte de maïs fourrée de viande, enveloppée dans la feuille du maïs. (*NdT*)

La place Eguino est une sorte d'entonnoir où passent quotidiennement les milliers de gens qui veulent prendre l'autobus
pour El Alto, une ville-dortoir que les membres du MIR ont
baptisée naïvement la Cité du Futur. L'agitation commence
sur le coup de sept heures. Une foule formée d'hommes et de
femmes au teint mat. Parfois, on y remarque un Bolivien pâle
ou un étranger. Les touristes sont facilement repérables à
leur tenue, à leur taille et à la couleur de leur peau. Les blonds
sont pareils à des épis de blé au milieu d'un tas de charbon.
Gais et insouciants. Pour eux, la vie n'est pas chère en Bolivie.

Fasciné par ces allées et venues incessantes, tout à la fois
bercé et agacé par les chants des prédicateurs et les klaxons
beuglants des autobus et des taxis bloqués dans les embouteillages, je sursautai en apercevant Isabel Esogástegui.
Apparition céleste dans la librairie, elle avait à présent l'air
de venir d'une autre galaxie. Un homme plutôt renfrogné et
d'une négligence savamment étudiée l'accompagnait. Même
s'il n'y a pas beaucoup de voleurs à cette heure-là, je songeais
qu'une femme comme elle prenait des risques à s'aventurer
dans ces rues. Elle portait un imperméable, des mocassins et
avait une écharpe écossaise en laine autour du cou.

– Isabel! criai-je en me levant quand ils passèrent près de
moi.

Elle se retourna, me regarda sans paraître me reconnaître.

– Mario Alvarez, nous nous sommes vus à la présentation
du livre de Mabel Plata.

– Qu'est-ce que tu fais là?

– Mon hôtel est dans la rue Illampu. Et toi?

J'étais déjà enivré par les effluves de son parfum raffiné.

– Je suis avec mon frère. Il aime bien ce quartier.

– Vous voulez prendre un verre?

– Merci, mais nous n'avons pas le temps. C'est son anniversaire, nous avons organisé une fête avec une centaine
d'invités.

Le frère d'Isabel était un peu plus âgé qu'elle. Il avait les mêmes traits subtils et racés. C'était un jeune homme très beau, pâle, délicat, mais viril. Il promenait ses yeux cernés sur le monde comme si celui-ci lui était étranger. Décelant une certaine gêne chez sa sœur, j'en déduisis qu'il devait être sous l'effet d'une drogue. Notre cocaïne nationale, sans doute.

Sans faire cas de ce qu'Isabel venait de dire, il s'assit et appela la serveuse.

– Un café bien serré.

– Aujourd'hui, les tamales sont gratuits, lui annonça la jeune femme.

Il la regarda et pouffa de rire.

– Qu'est-ce qu'elle a dit ?

– Qu'aujourd'hui, les tamales sont gratuits. C'est la première fois qu'ils en font.

– Non merci, je prendrai juste un café bien serré.

Il me dévisageait avec une certaine curiosité. Isabel dut se résoudre à prendre place à nos côtés. Je la désirais comme un fou. Si le diable m'avait proposé de passer cinq cents ans en enfer contre une nuit avec elle, je n'aurais pas hésité une seconde. Elle était si ravissante qu'elle me semblait irréelle. Les pauvres n'osent pas trop s'attarder sur ce genre de beauté, elle leur est interdite.

– J'espère que le café te remettra les idées en place, murmura Isabel.

Son frère sourit en resserrant son nœud de cravate. Il passa une main dans ses cheveux châtain.

– Je m'appelle Charles, déclara-t-il aimablement. Mon père est fou des Anglais. Pour lui, tout ce qui vient d'Angleterre est génial. Si tu es du coin, tu connais sûrement la rue Virrey Toledo, me dit-il après une courte pause.

– Non.

– C'est après la gare, près de ces bicoques que la Bolivian Railway a construites pour les employés des chemins de fer.

Isabel rougit. Elle essaya de le faire taire, mais il était parti sur sa lancée.

– Il faut escalader un mur pour accéder à la maison... une maison jaune... Je n'en suis pas sorti pendant deux jours. Tu sais pourquoi ?

– Non, mais j'imagine.

– Tu ne trouves pas ça atroce ?

– Si, le jour de ton anniversaire...

– Ça, je m'en fiche ! Et ma mère qui a organisé une fête somptueuse...

– Raconte-lui ta vie, pendant que tu y es... grommela Isabel.

La serveuse lui apporta son café. Il le but par petites lampées et parut se ressaisir suffisamment pour se rappeler qu'il avait pris sa voiture, mais pas assez pour se souvenir où il l'avait garée.

– Tu es un irresponsable ! s'exclama Isabel.

– Où la laisses-tu, d'habitude ?

– Parfois devant la gare, parfois sur la place Kennedy.

– Bois ton café et arrête de faire l'idiot.

Elle se leva et fit mine de partir.

– Je n'ai rien à faire avant huit heures. Si tu veux, je vous accompagne, proposai-je. C'est quoi, comme voiture ?

– Une Toyota Corolla. Rouge, neuve...

– Oh ! J'étais sûr d'avoir pris la Nissan ! s'écria Charles, amusé.

– Crétin, marmonna Isabel.

Nous retrouvâmes la voiture au bout d'un quart d'heure. Elle était garée entre deux énormes poids lourds, près de la rue Virrey Toledo, dans une ruelle sombre où des gamins avaient délimité un miniterrain de football avec des pierres.

– C'est un miracle qu'on ne te l'ait pas volée. Aujourd'hui, c'est ton jour de chance.

Charles me tapota l'épaule.

— Isabel traîne toujours avec des gars barbants. Toi, je te trouve sympa. Tu l'as rencontrée où ?

— Dans une librairie. Mais je ne suis pas son ami, je ne l'ai vue qu'une seule fois.

Isabel ouvrit la portière et prit le volant.

— Merci. Dis, tu ne veux pas venir à l'anniversaire de Charles ? Enfin, si tu n'as rien d'autre à faire…

Charles joignit les mains dans un geste suppliant. Apparemment, il prenait tout à la légère. L'expression d'Isabel me faisait frissonner. Un mille-pattes ruisselant de morphine me courait le long du dos et j'en oubliai tous mes projets, avide d'amour, de sexe ou des deux à la fois. Quand je montai dans la Toyota, mon cœur dansait la salsa.

Charles s'endormit dès que la voiture démarra. Isabel traversa le centre-ville sans piper mot, énervée. Nous roulions si lentement que ça en devenait désespérant. Elle poussa un long soupir avenue 6 de Agosto et me raconta la vie inquiétante de Charles, son seul frère, l'enfant chéri de sa mère, l'espoir de la famille. Jusqu'à l'âge de vingt-cinq ans, il avait été un fils modèle. Après avoir étudié l'économie à l'Université catholique de Santiago du Chili et fini dans les premiers de sa promotion, il était rentré au pays avec l'énergie et l'entrain d'un jeune lion. Une entreprise nord-américaine lui avait proposé du travail à La Paz et un salaire de deux mille dollars. Un économiste élégant, de bonne famille, qui parlait anglais couramment et avait envie de gravir les échelons sociaux était une aubaine pour ses employeurs.

Charles avait travaillé avec l'acharnement d'un cadre japonais pendant six mois, puis avait fait la connaissance d'une jeune arriviste issue d'une famille de nouveaux riches comme on en croisait beaucoup après la révolution. Elle lui avait mis le grappin dessus, lui avait fait découvrir une sexualité effrénée et l'avait épuisé jusqu'à ce qu'il l'épouse en cachette de sa mère, de sa sœur et de son père, qui s'était installé à

New York pour fuir la condescendance, l'arrogance et le
caractère manipulateur de sa femme. Dans le petit monde des aristocrates de La Paz, ç'avait été un scandale que la famille avait surmonté. Mais tous ignoraient que l'épouse de Charles se droguait et avait entraîné son jeune mari dans la cocaïne. Ils avaient commencé par sniffer, puis se piquer. Atteinte de l'hépatite C, elle avait été internée. Elle était morte dans un hôpital de São Paulo, laissant Charles inconsolable, veuf et toxicomane. Il avait fini par accepter sa mort sans renoncer à la drogue. Depuis, il n'était plus le même. Il vivait aux crochets de sa famille, un pied dans le vide.

– Nous ne savons pas quoi faire de lui, m'avoua Isabel. Je crois qu'il est fichu.

Ils habitaient le quartier d'Achumani, dans une maison gigantesque de style provençal. Au premier coup d'œil, je calculai que le terrain mesurait plus d'un hectare, et la maison, sept cents mètres carrés. La pelouse était impeccable, le jardin regorgeait de rosiers. Un grand pin éclairé par un projecteur s'élevait sur l'un des côtés. Dès que Charles poussa la grille, deux molosses coururent à notre rencontre en aboyant férocement. Ils se turent en reconnaissant leur maître, mais ma présence éveillait leur méfiance et ils ne cessaient de me montrer leurs crocs.

– *Calm down*, leur dit Charles.

Les chiens obéirent, attendant d'autres ordres.

– Ils sont bilingues. Ils comprennent aussi bien l'espagnol que l'anglais.

– Ils iront loin, ironisai-je.

Isabel nous conduisit dans l'un des salons. De nombreux invités, âgés de vingt à cinquante ans, y dansaient avec entrain. Le DJ allait avec une facilité déconcertante d'une platine à l'autre. Sur un écran, une Noire époustouflante qui n'était autre que La Toya Jackson s'agitait au rythme d'une musique new-age tandis qu'un homme musclé au corps luisant d'huile mimait l'acte sexuel avec une métisse dont la langue avait la taille d'une couche pour bébé.

Isabel se dirigea vers une femme qui ressemblait à une princesse inca et lui murmura quelques mots à l'oreille. Je supposai qu'il s'agissait de sa mère. Elle regarda Charles avec inquiétude tandis que les invités applaudissaient le jeune homme, qui salua chaleureusement ses amis, les autres avec davantage de réserve. Sa mère le serra longuement dans ses bras. Tout le monde leva ensuite sa coupe de champagne pour porter un toast. Isabel me fit signe d'approcher.

– María Augusta, ma mère. Maman, je te présente Mario Alvarez.

Cette femme était un mélange miraculeux d'Espagnol et d'indigène. Elle avait le teint cuivré, de beaux yeux en amande, des lèvres, une bouche et un nez euro-indiens qui semblaient avoir été dessinés des milliers d'années plus tôt par un de ces artistes égyptiens qui peignaient des portraits sur les sarcophages. Elle était à elle seule une œuvre d'art du métissage.

– Mario m'a aidée à ramener Charles, souffla Isabel.

– Ah bon ? Que s'est-il passé ? demanda María Augusta, sincèrement étonnée.

– Il avait un peu bu. Tu sais, avec les drôles d'oiseaux qu'il fréquente…

– Il a en effet la manie ridicule de s'acoquiner avec des gens très spéciaux, affirma sa mère. Je ne sais pas de qui il tient ça.

– Pas de notre père, en tout cas.

María Augusta me lança un regard pénétrant et s'employa à vérifier mon arbre généalogique en commençant par me demander d'où je venais.

– Je suis originaire d'Uyuni, dans le département de Potosí.

– Avant 1952, il y avait encore des gens décents là-bas.

J'avais l'intention de lui dire que mon père était un simple employé, mais Isabel m'en dissuada en clignant de l'œil.

– Mario est professeur de littérature.

– C'est merveilleux ! s'exclama María Augusta. J'adore Asturias. En revanche, je ne supporte pas García Márquez et Cortázar. Quant à Vargas Llosa, il s'était engagé sur une mauvaise voie, mais il a su corriger le tir.

– Sans doute parce qu'il passe le plus clair de son temps à Londres, dis-je.

– L'environnement est décisif. J'imagine que vous avez sûrement vos auteurs préférés, vous aussi.

– Oui, le Péruvien José María Arguedas et Osvaldo Soriano. J'aime aussi beaucoup Dashiell Hammett et Raymond Chandler.

– Je ne les connais pas. Ce sont de jeunes écrivains ?

– Je crois que Soriano est toujours vivant.

– Vous êtes un expert. Venez nous voir plus souvent, ce serait sympathique.

Isabel me prit par le bras, un geste qui me fit l'effet d'une caresse douce et irrésistible.

– Tu veux une coupe de vrai champagne français ? Rien à voir avec ce que nous avons bu à la librairie, l'autre soir.

– Vous vous êtes rencontrés dans une librairie ?

– À la présentation du recueil de Mabel Plata, expliqua Isabel.

María Augusta fronça les sourcils, comme Jack Palance dans les westerns, lorsqu'il s'apprête à tuer un pauvre et honnête cow-boy.

– Je n'ai jamais rien entendu de bon sur les préférences sexuelles de cette femme, murmura-t-elle.

– Maman, chacun est libre d'être comme il est ! protesta Isabel.

– J'ai lu dans le *Times* que tout vient de l'hypothalamus, qui régule nos pulsions sexuelles. Une petite chirurgie du cerveau et zou, la personne est guérie ! dit María Augusta en s'adressant à moi.

– Il faut le voir pour le croire...

164 – Comment trouvez-vous mes enfants, monsieur Alvarez ?

– Ils sont très différents.

– Mon époux, paix à son âme, était très sympathique quand il était jeune. Il était blond, grand et sexy.

– J'ignorais qu'il était mort.

– Parce qu'il ne l'est pas ! se récria Isabel. Il est même on ne peut plus vivant. Il habite New York et travaille dans une agence de tourisme, mais pour ma mère, c'est comme s'il était mort.

– Exactement, renchérit María Augusta. En Bolivie, il dirigeait une compagnie d'assurances, touchait un très bon salaire et jouissait de toutes les prérogatives que peut avoir un directeur. Mais il s'ennuyait et s'est échappé à New York avec cinquante mille dollars en poche et une fille de mauvaise vie à son bras. Comme il fallait s'y attendre, il s'est fait dépouiller de tout ce qu'il possédait. J'en suis ravie, il ne méritait pas mieux.

– J'espère moi aussi partir bientôt aux États-Unis, lui annonçai-je.

Elle leva un sourcil à la manière des aristocrates du siècle dernier.

– Si vous avez un demi-million de dollars, vous serez accepté, sans quoi, inutile d'essayer de vous intégrer.

– Je n'étais pas au courant, dit Isabel.

– Ça m'a pris subitement.

La jeune fille enleva son imperméable. Elle portait une robe beige simple et élégante.

– Je vais aller chercher Claudio, annonça-t-elle.

– Claudio ?

– Mon fiancé officiel... choisi par toute la famille.

Elle s'éclipsa. Charles vint m'apporter un verre de whisky écossais que j'échangeai volontiers contre une coupe de champagne.

– Je vais te présenter des amis. Ils veulent tous savoir qui tu
es. Je leur ai dit que je n'en avais pas la moindre idée. Qui es-tu ?

– Un gars d'Uyuni, professeur d'anglais et passionné par les films et les romans policiers. J'ai été nourri de fictions criminelles.

– Ça t'a servi ?

– Peut-être, je ne vais pas tarder à le savoir.

Le salon était si grand qu'on aurait pu facilement y disputer une partie de tennis. Des serveurs disposaient des plats froids et des bouteilles de vin importé sur une immense table couverte d'une nappe blanche. Comme toujours dans ce genre de réception, les invités semblaient mourir de faim. Avant d'atteindre le buffet, il nous fallut saluer les amis de Charles, des gens ennuyeux. J'eus l'impression de me retrouver devant un défilé de petits-bourgeois sortis tout droit d'un rêve de Buñuel. Il y avait là un ancien joueur de tennis atteint d'une calvitie précoce, aux joues creuses et au sourire enjôleur ; un petit gros à l'accent argentin qui avait été ministre de l'Économie et que je reconnus sur-le-champ car il avait été contraint de démissionner pour manœuvres frauduleuses. Je dus également saluer un homme qui ressemblait à un sépharade nord-africain. Il avait un énorme derrière. Et un type à la barbe soigneusement taillée, aux yeux vides et aux oreilles décollées, qui s'appelait Sanchiz de Bustillos.

Enough is enough, pensai-je.

– Le joueur de tennis dit qu'il est ami avec Guillermo Vilas, me souffla Charles en me prenant à part. En fait, il a juste échangé quelques balles avec lui à Monte-Carlo et ne l'a plus jamais revu. Il m'a raconté qu'il s'était fait pas mal de Monégasques friquées, mais je ne le crois pas...

– Même une truie ligotée, il aurait du mal à la séduire.

– Tu as raison. L'ancien ministre est tellement radin qu'il met son frigo sous clef. Ses domestiques mangent toute la semaine des pâtes réchauffées. Quant à Sanchiz de Bustillos, il ne travaille pas à la Bourse, mais est prêteur sur gages à sept pour cent. Il a envoyé ses meilleurs amis en prison.

– Et dis-moi… comment s'appelle cette horrible femme, dans *Les Liaisons dangereuses* ?

– La marquise de Merteuil ?

– Chut, moins fort !

– Je ne les aime pas. Ils sont médiocres et n'ont aucune classe. Ce sont des nouveaux riches. Avec ce genre de connards en haut de la pyramide sociale, les pauvres sont foutus.

Isabel me présenta son fiancé. Charles le salua et fila rejoindre ses amis. Claudio était un homme solide, dont l'allure évoquait celle d'un chef d'orchestre. Vêtu à la dernière mode, il mangeait goulûment du saumon au beurre blanc.

– Tu veux dîner ? me demanda Isabel.

– Un peu de saumon avec du vin blanc, je ne dirais pas non. Elle se dirigea vers la table.

– Vous avez une autre activité, en plus de vos cours d'anglais ? voulut savoir son fiancé.

– Avant, je passais de la marchandise chilienne en Bolivie. Il rajusta ses lunettes en pouffant de rire.

– Ce n'est pas une plaisanterie.

– Comment avez-vous rencontré Isabel ?

– À la présentation d'un recueil de poèmes sur la mer que nous avons perdue.

– Nous l'avons récupérée grâce au traité qui nous donne un libre accès au Pacifique. Le traité d'Ilo. Vous n'en avez jamais entendu parler ?

– Vous avez une fiancée merveilleuse, dis-je pour changer de sujet.

– Elle vous a parlé de moi ?

– Non.

– Elle est parfaite, trop parfaite… intelligente et belle.

– Les femmes intelligentes vous font peur ?

– Oui. Elles me flanquent une trouille bleue. Vous êtes
marié ?

– Je l'ai été. Ma femme n'était ni intelligente ni sotte. Elle était tout ce qu'il y avait de plus normal, mais elle me plaisait. Elle m'a quitté, je suis libre maintenant.

– Vous ne trouvez pas que le mariage nuit à l'intimité ?

– Vous pourriez garder vos distances, comme le font les Anglais.

Claudio déclara que le saumon était délicieux et partit se resservir. Je dus l'accompagner. Il transpirait comme un bœuf dans cette chaleur suffocante. S'il ne surveillait pas plus son alimentation, il risquait d'avoir un excès de cholestérol et de devoir se mettre à la diète toute sa vie.

– Charles est un raté, affirma-t-il brusquement. Vous qui êtes venu avec lui, j'aimerais bien que vous me disiez ce que vous en pensez.

– Il est sans défense.

– Il est surtout drogué. Tout le monde le sait. C'est un gosse de riches, il n'a aucune personnalité. Le pire, c'est que sa mère l'adore et lui passe tout.

Isabel revint, détendue et de bonne humeur. Elle m'avait choisi le meilleur morceau de saumon qui soit. Le vin, un concha y toro blanc, me permit de comprendre pourquoi les Chiliens avaient évincé les Allemands du marché nord-américain. Isabel s'entendait bien avec son fiancé. Ils entretenaient des rapports tout à fait *comme il faut**. Claudio était un bourgeois affable, correct et probablement très fortuné. Isabel se lasserait sans doute de lui au bout de quelques années de mariage et le coifferait d'une magnifique paire de cornes. Cette femme était née pour rendre plusieurs hommes heureux. Il aurait été dommage de l'enfermer dans une prison dorée, entourée

* En français dans le texte.

d'enfants jusque dans ses vieux jours. Elle méritait un destin hors du commun. En ce qui me concernait, j'avais eu le coup de foudre au point d'en oublier mes problèmes de visa et le braquage. Elle avait dû s'apercevoir que j'étais soucieux, car elle me proposa d'aller m'asseoir à côté de quatre jeunes femmes qui bavardaient gaiement et se gaussaient de tous les invités qui passaient à côté d'elles. Elles me firent boire. Norha, une petite brune aux yeux langoureux et aux lèvres fardées, ne cessait de me regarder avec insistance.

Au bout d'une demi-heure, j'étais passablement soûl et mes compagnes avaient oublié tous leurs préjugés. Norha avait l'air excitée comme une puce. Son mari, un homme qui avait une tête de mafieux italien, était en train d'écluser une bouteille de whisky en parlant à une assemblée imaginaire. À mesure qu'elle buvait, la jeune femme se rapprochait de moi. Vers vingt-deux heures, nos mains s'effleurèrent. Je lui caressai la cuisse.

– Mario, murmura-t-elle. Ma voiture est garée dehors. Si tu veux, on pourrait aller faire un tour à Aranjuez.

– Qu'est-ce qu'il y a de spécial là-bas ?

– Une parfaite obscurité.

– J'ai un coup dans le nez.

Cela l'inspirait. Un homme sans nom, sans mémoire, sans envergure sociale et visiblement prêt à aller plus loin avec elle lui faisait augurer une aventure des plus engageantes. Nous pûmes nous éclipser discrètement pendant que les convives dansaient sur une chanson de José Luis Guerra. Calée dans un fauteuil, María Augusta s'était lancée dans un discours riche de souvenirs. Isabel tenait mollement son fiancé par le bras. Ce dernier souriait comme un agneau drogué. Charles avait manifestement besoin d'un rail : il semblait nerveux.

Norha sortit la première. Je la rejoignis quelques instants plus tard. Elle avait une Peugeot bordeaux flambant neuve. Elle m'attendait en écoutant une aria chantée par Pavarotti.

Elle démarra en trombe, faisant crisser les pneus. Nous traversâmes le quartier de Calacoto et la place Humboldt, puis
elle tourna à gauche et longea le club de tennis La Paz pour
s'engager enfin sur un chemin de terre battue. Le mince
croissant de lune se reflétait faiblement dans la rivière. Norha
roula vers un bosquet d'eucalyptus discret et isolé. Nous
n'avions pas échangé un mot. Elle semblait ravie, transportée,
impatiente. Nous avions de la chance, l'endroit était désert.
Elle coupa le moteur et baissa le volume de la radio. L'obscurité nous était favorable. La lune éclairait à peine la ligne acci-
dentée des montagnes voisines. Une petite brise s'était levée.
Le parfum de Norha n'avait rien à voir avec celui de Blanca,
trop capiteux. Le sien était une invitation poétique.

– Qu'est-ce que tu en penses ? Ce n'était pas si loin.

– Non, à cinq minutes de ton mari.

Elle alluma une cigarette, la glissa entre mes lèvres avant
de retirer sa robe en taffetas de soie d'un geste lent, mais
résolu. Elle avait un corps d'adolescente svelte et gracile, aux
courbes agréables. J'enlevai ma veste et la jetai sur la banquette arrière. Je dégrafai son soutien-gorge et savourai
l'odeur de sa peau nue. Je lui tendis la cigarette, accrochai
son string sur la clef de contact. Elle mit le chauffage. Un
silence lourd et pervers régnait dans l'habitacle. Je posai mon
pantalon sur le tableau de bord et fourrai, d'un geste furtif,
mon modeste caleçon dans la boîte à gants. Nous étions prêts.
Norha écrasa la cigarette dans le cendrier et préféra des *rancheras* mexicaines à Pavarotti.

Elle se plaça au-dessus de moi et ses mains de velours
s'emparèrent de mon sexe comme si c'était le pénis de
l'Apollon de Michel-Ange. Elle bougeait doucement au départ,
puis accéléra la cadence sans précipitation, à la manière
savante des putes de luxe. Ses gémissements ressemblaient
aux murmures contenus des femmes de mauvaise vie japo-
naises des romans de Mishima. La caressant d'une main,

j'avais emprisonné son visage dans l'autre. Elle me regardait d'un œil distrait. Sans me laisser le temps de réagir, elle se tourna. Son entrejambe devint un sourire vertical, ses cheveux tombant en cascade dans son dos. Je ne bougeais pas, la laissant maîtresse de la situation. Elle s'activa légèrement, se déhanchant avec un savoir-faire surprenant. Lorsqu'elle jouit, j'eus l'impression que deux gigantesques ciseaux se resserraient sur mon pénis. Elle poussa un cri de louve qui ne fit que m'émoustiller davantage, après quoi elle se calma, la respiration hachée comme un coureur qui vient de franchir la ligne d'arrivée. Encore à mi-chemin, je la renversai sur le siège de la Peugeot et, sans grâce ni brio, tentai d'arriver moi aussi à l'orgasme. Ce n'était pas mon jour de chance. Les murmures de la rivière, les rancheras ou la subite passivité de Norha ne m'aidaient guère. Malgré tous mes efforts, j'avais peine à jouir et luttais contre la montre. J'étais perdu dans ces pensées désagréables quand un bruit violent sur le toit nous fit sursauter.

– Merde ! bredouillai-je.

Norha se leva et se dégagea sans aucun ménagement.

– Ils nous lancent des pierres ! s'écria-t-elle. Ils vont bousiller ma voiture !

– Salauds ! hurlai-je en ouvrant la portière.

Des cailloux tombèrent à quelques centimètres de mon corps en sueur.

– Montrez-vous !

Norha mit le contact et recula, me forçant à monter précipitamment dans la voiture.

– Non mais tu es folle ? Tu voulais partir sans moi ?

Sans me répondre, elle fit marche arrière et sortit du bosquet à toute vitesse pour s'arrêter une centaine de mètres plus loin.

– Tu n'as pas l'intention de me laisser en plan, j'espère !

– Si jamais mon mari s'aperçoit qu'on a abîmé la voiture, il
me tuera ! Nous l'avons achetée il y a une semaine !

– Mais je m'en fiche, ça n'est pas mon problème !

Elle s'empressa de s'habiller, puis me lança un petit regard
en biais.

– Qu'est-ce que tu attends ? Rhabille-toi !

– On pourrait finir ce qu'on a commencé, maugréai-je. Je
n'aime pas rester sur ma faim.

– Ça ne va pas la tête ? Il y a trop de lumière ici, et puis la
maison de mon cousin Bebi est tout près. Ce n'est pas ma
faute si ces sales types nous ont lancé des pierres !

– Tu m'avais dit que c'était un lieu sûr et on tombe sur une
bande de pisse-froid qui veulent notre peau.

– Je suis désolée, chéri. S'il te plaît, rhabille-toi, tu as l'air
ridicule.

Je m'exécutai en jurant.

– Tu veux bien jeter un œil au toit et me dire s'il est cabossé,
s'il te plaît ?

Je sortis et palpai le métal. Il y avait quelques rayures, mais
rien de grave.

– Il n'y a pas de quoi s'inquiéter.

En guise de remerciement, elle m'effleura l'entrejambe.

– Je m'occuperai mieux de toi la prochaine fois. Isabel
m'invite toujours à ses fêtes. Allez, ne fais pas cette tête !

Avant de repartir, elle se remit du rouge à lèvres et arrangea
sa coiffure. Elle gara la voiture au même emplacement
qu'auparavant et alluma une cigarette.

– Quelle belle nuit ! susurra-t-elle.

Je préférai ne rien répondre. J'étais en colère et honteux.
Une petite-bourgeoise venait de me traiter comme un objet
jetable.

– Je vais entrer avant toi.

J'attendis quelques minutes dans le jardin en observant les
molosses dévorer des restes de côtelettes de porc. Une voiture

s'arrêta devant le portail. Un chauffeur vêtu comme un jockey en descendit et ouvrit l'une des portières arrière, laissant apparaître deux femmes et un homme. Ils traversèrent le jardin. Le petit chauffeur leur emboîta le pas.

– Fais-toi servir quelque chose à manger dans la cuisine et retrouve-nous dans une heure, lui dit l'homme.

– Très bien, don Gustavo.

– Je vais dire bonsoir à ta sœur et je m'en vais, déclara la plus âgée des deux femmes, qui devait avoir une cinquantaine d'années. Elle avait l'air furieuse.

– Oh, tu continues avec ces histoires, protesta l'homme. J'étais au Parlement, il y avait un débat sur les privatisations. Tu sais bien que parfois les séances s'éternisent.

– Maman, s'il te plaît, il y a plein de monde ici, dit la plus jeune femme.

L'homme me regarda comme si j'étais un arbuste perdu dans la végétation, puis ils entrèrent.

La fête battait son plein. Certains dansaient ; de petits groupes bavardaient, les femmes d'un côté, les hommes de l'autre. Tous acclamèrent don Gustavo.

– Il était temps ! s'exclama quelqu'un. Le futur président du Sénat est enfin arrivé ! On commençait à s'inquiéter.

Gustavo salua tout le monde à la cantonade. Les deux femmes évitèrent les convives pour aller souhaiter un joyeux anniversaire à Charles. Isabel me rejoignit, deux verres de vin à la main.

– Du rouge de Mendoza. Caballero de la Cepa. Au fait, où étais-tu passé ?

– Ton amie Norha m'a emmené faire un tour. C'était une expérience troublante et plutôt drôle.

– Elle ne recule devant rien. J'imagine qu'elle n'est pas mal, comme dessert. Un peu toquée, mais c'est à la mode.

Isabel me fit oublier ma mésaventure. Cette femme était un rayon de soleil. J'oubliai ma castratrice et n'avais d'yeux que

pour mon hôtesse. Nous goûtâmes le vin et allâmes danser.
Elle était ensorcelante et sensuelle. Nous parlâmes de tout et
de rien. Je savais que je me souviendrais d'elle toute ma vie.
Je ne me risquai cependant pas à lui proposer d'aller plus
loin, non que je me sois senti inférieur et complexé par mes
origines, mais plutôt parce que c'était une mission aussi
impossible que de demander la lune.

– À l'étage, nous avons une bibliothèque assez complète,
m'annonça-t-elle. C'est celle de mon père. Un de ces jours, je
la lui enverrai à New York. Tu peux choisir quelques livres, si
tu veux. Prends-les en souvenir.

Nous empruntâmes quelques marches recouvertes d'un
tapis qui semblaient conduire à un trône sorti d'un film de
Walt Disney, puis un couloir orné de peintures coloniales
aussi affreuses les unes que les autres. Isabel m'avait pris par
la main. Sans elle, je me serais perdu dans cette maison qui
ressemblait au ventre d'une baleine. La bibliothèque était
spacieuse. Elle comptait au moins deux mille volumes, pour la
plupart reliés.

– Au fait, tu as trouvé les œuvres complètes de Gramsci ?

– Elles sont épuisées. Tu as bonne mémoire, dis-moi.

– Ton père est un grand lecteur. Je n'ai jamais vu autant de
livres. Il ne te manque pas ?

– Je pense tout le temps à lui, mais je ne peux pas aller à
New York à cause de mes études. Et de ma mère.

– Qu'est-ce qu'il fait dans la vie, ton fiancé ?

– Il a une scierie et une mine d'or. Il exporte aussi du café.
Il est très riche.

– Et ça te plaît ?

– L'argent règle beaucoup de problèmes.

– Un pauvre peut devenir riche, il suffit d'un coup de chance.

– Ça, ça n'arrive qu'au cinéma. Dans un pays comme le
nôtre, ou tu nais riche ou tu le deviens en escroquant l'État.

– Ton fiancé est un honnête homme d'affaires.

– Son père lui a donné un capital de deux cent mille dollars pour se lancer.

– Moi, le mien m'a offert deux pépites d'or.

– C'est déjà ça.

Mon choix se porta sur deux romans de Jack London. Qu'y avait-il de mieux qu'un rêveur pour continuer de me bercer d'illusions ?

Gustavo, l'oncle d'Isabel, entra à ce moment-là, un téléphone portable dans la main. Il s'apprêtait à composer un numéro, mais se ravisa.

– Isabel ! Quelle surprise ! On ne te voit pas souvent ces temps-ci.

Il m'étudia rapidement du regard. Je crois qu'il n'arrivait pas à me cataloguer.

– Mario Alvarez, dit Isabel.

– Enchanté. Je ne vous ai pas déjà rencontré au Sénat ?

– Je ne pense pas. Je n'y suis jamais entré, je ne connais le bâtiment que de l'extérieur. Je vis à Oruro.

– Ah !

– Il est professeur, précisa Isabel.

– Professeur… répéta Gustavo.

Je crus déceler de l'ironie dans sa voix. Gustavo avait une bonne tête de plus que moi et portait un costume bleu très cintré. Il avait le teint mat comme María Augusta, sa sœur. Ses cheveux avaient été disciplinés avec de la gomina, ce qui lui donnait l'air d'un de ces Noirs de Harlem dans les années cinquante, qui plaquaient leur crinière pour ressembler aux Blancs. Savamment enduit de crèmes hors de prix, son visage était celui d'un métis satisfait de sa personne, dédaigneux et antipathique. Il resserra sa cravate rouge sur sa chemise impeccablement blanche. Ses mains étaient enflées, grossières.

– Je voulais être seul un moment. Ta tante Alicia m'épuise. Elle me fait des crises de jalousie, elle s'imagine que j'ai une

maîtresse alors que je passe tout mon temps au Parlement.
J'ai des choses plus sérieuses que ça à régler…

– Ah oui ? lâcha Isabel, railleuse.

– Eh bien oui, figure-toi, à commencer par la présence de soldats nord-américains dans le cadre de la lutte contre le trafic de drogue. Sans soldats, il n'y a pas d'aide possible, et sans aide, le pays est paralysé.

– Ce pays vit en grande partie de la cocaïne, décrétai-je. Il serait absurde d'interdire la culture de la coca.

Gustavo étira les lèvres en une grimace qui aurait été drôle si le reste de son visage n'avait eu une expression sinistre.

– Personne ne veut supprimer la coca et les Américains n'y tiennent pas plus que nous. Ils aiment les affaires rentables. Ils ont monté une opération dans laquelle nous jouons les seconds rôles. Tout cela n'est que théâtre. Nous sommes chargés de lutter contre les trafiquants uniquement pour satisfaire les médias et l'opinion publique. Nous sommes tous d'accord sur le fait que s'il n'y avait pas de cocaïne, les coffres de la banque centrale seraient vides. Il n'y a donc pas de raisons de vous inquiéter. Je suppose que, comme tout professeur, vous êtes de gauche, comme ma nièce.

– Non, je suis apolitique et j'ignorais que votre nièce était de gauche.

– C'est comme ça, malgré sa fortune et son allure. Dites-moi, vous êtes plutôt chic pour un enseignant. Combien vous a coûté ce costume ? Deux cents dollars ?

– Je l'ai fait faire sur mesure pour aller au consulat nord-américain.

– Pour une réception ?

– Non, je voulais obtenir un visa touristique.

Il rit en secouant la tête.

– Isabel a le don de traîner avec de drôles de types, syndicalistes ou leaders de mouvements ouvriers. Enfin, elle s'est quand même choisi un fiancé de bonne famille dont la fortune est plus que considérable.

Isabel le fusillait du regard.

– Ils sont plus intéressants que tes amis de droite de la Chambre des députés. Mon oncle Gustavo est membre du MIR, mais avant ça, il a sympathisé avec tous les dictateurs et conseillait les militaires. Dans sa tendre jeunesse, il militait au MNR et a même été ambassadeur en Belgique. Il a mangé à tous les râteliers et personne n'est aussi doué que lui pour retourner sa veste.

– Je vais dans le sens de l'histoire, répondit Gustavo en toussotant. Maintenant, je suis social-démocrate et j'admire les Suédois et les Danois. J'ai été de gauche dans ma jeunesse parce que je voulais savoir ce qu'étaient le socialisme scientifique et la dialectique. Marx m'a été très utile à l'université, mais tout ça est aujourd'hui révolu et il faut poser un œil nouveau sur le monde. Darwin avait raison d'affirmer que seul le plus fort survit.

– Et peu importe comment, rétorqua Isabel.

– La Perestroïka a été la vengeance posthume de Kerenski, qui voulait une Douma pluraliste, dit Gustavo en faisant les cent pas dans la pièce comme un dompteur de fauves. Il n'est pas nécessaire d'éliminer les bolcheviks, nous avons besoin d'eux. Sans appui thermonucléaire, Sentier lumineux, Farabundo Martí et compagnie sont inoffensifs. Ils peuvent combattre pendant un siècle sans empêcher le monde de tourner. Fukuyama appelle ça la « fin de l'histoire ». Vous l'avez lu ?

– Le seul Japonais que j'aie lu est Mishima.

– C'est un politologue ?

– Non, un écrivain homosexuel qui s'est suicidé en se faisant hara-kiri.

– Encore un fou, mais bon, à chacun ses lectures. Il faut bien composer avec les gauchistes et je le fais tous les jours au Parlement. On se retrouve au café, on plaisante, on parle politique. Ils se sentent perdus mais touchent quand même un salaire de mille dollars par mois, ce qui n'est pas rien de nos jours. J'espère qu'aux prochaines élections, ils auront assez de voix pour revenir à la Chambre ! Qu'est-ce qu'on ferait sans eux ?

Isabel était livide. Ce genre de discours me révoltait tout autant qu'elle. Son oncle aurait mérité d'être jeté dans un puits sans fond, mais cela n'aurait pas servi à grand-chose. Le pays comptait des tas de types comme Gustavo. Ils poussaient comme des champignons et survivaient comme les cafards.

Gustavo se tourna brusquement vers Isabel pour lui demander où était Charles.

– Au salon.

– En voilà un autre qui cherche à fuir la réalité en prenant de la drogue. C'est un faible, il tient de ton père.

– Je préférerais que tu ne parles pas de lui, bredouilla Isabel.

– Il a bien fait de partir. Pour lui, nous n'étions que des Indiens méprisables. C'était un aristocrate moraliste.

– Je t'ai dit d'arrêter ! s'écria Isabel.

Gustavo ne devint pas rouge parce qu'il avait la peau trop mate et que, même au milieu d'un arc-en-ciel, il n'aurait pas changé de couleur. Isabel sortit de la bibliothèque. Je pris les livres de London et m'apprêtais à la suivre quand Gustavo s'adressa de nouveau à moi.

– Qu'est-ce qu'un professeur peut bien aller faire aux États-Unis ?

– Des pancakes. Vous connaissez *The House of Pancakes*, à Miami ?

– Vous n'avez pas le choix, affirma-t-il, tout sourire, avant de me tourner le dos pour téléphoner.

Je redescendis au salon, où personne ne faisait attention à moi. Isabel avait disparu. Je pris un dernier verre de rouge et partis dans les rues venteuses. Deux policiers qui faisaient une pause dans une guérite m'observèrent tandis que je m'éloignais et cherchais un autobus pour regagner l'hôtel.

Une nuit d'insomnie à penser aux dollars d'Arminda et au charme d'Isabel m'attendait. Comme je l'avais prévu, j'étais si désespéré que je ne pus fermer l'œil. J'avais perdu l'occasion de voler Arminda parce que j'étais un abruti, que j'avais préféré passer mon temps avec des bourgeois coincés, goûter au sang bleu, et coucher au passage avec une castratrice qui avait failli faire de moi un martyr biblique lapidé. J'étais un faible, un amoureux de l'impossible, un rêveur qui n'arrivait pas à se décider, un homme incomplet. Peut-être était-ce la peur qui m'avait fait renoncer au braquage et à la prise de risques. C'était pourtant la seule chose qui me restait à faire, celle qui me rachèterait vis à vis de moi-même et donnerait un sens à ma vie. Or je savais que si je ne passais pas à l'acte rapidement, j'y renoncerais à jamais.

Que faire ? Devenir le protecteur de Blanca dans ce quartier infernal ? Coucher avec elle dans des hôtels borgnes, côtoyer des virus qui, un jour ou l'autre, se révéleraient mortels ? Au bout de quelques années, nous nous installerions dans un petit village tropical pour vendre des glaces, tuer les moustiques, faire de longues siestes dans une chaleur étouffante, regarder la rivière et attendre la pluie. Je préférais encore mourir pour l'obtention de mon visa. Mon dilemme était stupide et digne d'un homme du tiers-monde, mais je n'étais pas le seul. Des centaines de milliers de types étaient aussi perdus que moi socialement. J'étais empêtré dans une situation risible, si réelle pourtant que lorsque j'éteignis la lumière la pièce resta éclairée comme si de nombreux projecteurs étaient braqués sur moi. J'avais envie d'un pisco, mais ma bouteille était vide. Heureusement, vers quatre heures, épuisée mais ravie, Blanca se glissa dans mon lit. Il est rare de voir une pute triste. En général, elles enfouissent chaque soir leurs angoisses existentielles au fond de leur vagin. Soit le complexe de Marie Madeleine n'existait

pas, soit Dieu avait lavé toutes ses semblables de leurs fautes
lorsqu'il lui avait pardonné ses péchés. Il leur avait ôté leurs
peines pour les combler de joie.

– Comment s'est passée ta soirée ? demandai-je.

– Tu ne dors pas ?

– Je viens juste d'arriver. J'étais à une fête dans le sud de la
ville.

– Où ça ?

– Calacoto, Achumani…

– Moi, c'était bien. Je crois qu'avec la crise, les gens ne
s'achètent plus de vêtements et font des économies sur la
nourriture. Ils n'arrêteront de baiser qu'en dernier ressort.

Norha m'ayant laissé sur ma faim, je fis l'amour à Blanca
en pensant à Isabel. Elle jouit, me regardant comme une
jeune fille qui découvre l'orgasme. Elle s'endormit aussitôt et
se mit à ronfler, mais je ne voulus pas la réveiller, sachant
qu'elle gagnait durement son pain quotidien. À six heures,
j'eus la chance de voir le curé de l'église du Rosario monter au
clocher et sonner les cloches d'un air mauvais pour réveiller
tout le quartier. Il me toisa du haut de sa tour. Je levai le doigt
et lui fis un geste obscène en guise de réponse. Je parvins
enfin à m'endormir quand les cloches cessèrent de résonner.

Je me réveillai vers onze heures. Blanca dormait encore du
sommeil des justes. Je sortis dans le patio, où j'assistai au
festin chocolaté d'Antonio.

– Il vient du Beni, mon cher Alvarez. C'est le meilleur chocolat du pays.

Il tira d'un sachet l'un des petits pains encore chauds qu'il
venait de rapporter et me le donna.

– Le patron de l'hôtel est dans le coma diabétique. J'espère
qu'il ne va pas mourir, sans quoi nous tomberions dans les
griffes de l'infirmière et de l'Écossais. Ce serait une tragédie.
En moins d'une semaine, cette harpie me mettrait à la porte.
Vous n'avez pas l'air en forme, ajouta-t-il après une courte

180 pause. Vous en faites trop, Alvarez. En altitude, il faut se ménager, sinon vous risquez d'y passer !

Le vendeur de vins et de fromages sortit de la douche. Il était beaucoup plus pâle que d'habitude, mais affichait toujours cette expression de tristesse et d'amertume insondable. Il portait une chemise à manches longues, un caleçon long et de vieilles pantoufles.

– Un chocolat chaud ? proposa Antonio.

Rommel Videla me salua en s'inclinant.

– C'est mauvais pour mon foie, mais je veux bien un petit pain. Je le mangerai avec du café.

– Notre infatigable négociant a vendu tout son stock de vin et de fromage, déclara Antonio en m'adressant un clin d'œil. Pourtant, lui demander de m'avancer un peu d'argent serait aussi inutile qu'espérer de la pluie dans le désert d'Atacama.

– Je n'emprunte jamais et ne prête pas davantage, répliqua Videla en se dirigeant vers sa chambre.

– C'est un homme très seul, dis-je.

– Un misogyne comme on en voit peu, et un radin. D'après Antelo, c'est un onaniste de première, et il est vrai que je ne l'ai jamais vu en compagnie d'une femme, pas même avec les filles du Tropicana. Elles ne se font pourtant pas prier. Il règle régulièrement sa note et peut s'offrir deux repas par jour. C'est un gros mangeur de pain, je n'ai jamais vu ça. Il peut en avaler dix ou quinze par jour. À ce stade, c'est un sacré budget !

Videla revint avec un petit réchaud à pétrole sur lequel il fit chauffer de l'eau dans une théière. Quand elle eut bouilli, il la versa sur du café lyophilisé. Il adoucit le tout de trois petites cuillerées de sucre. Il remua son café, mit la tasse de côté et s'empara d'un petit pain d'une main tremblante. Il en arracha lentement la mie, qu'il déposa dans une soucoupe. Il coupa ensuite le pain en petits morceaux, se frotta les mains et commença à siroter son café en accompagnant chacune de ses gorgées d'une bouchée de pain. Antonio et moi observions ce cérémonial sans piper mot. Quand Videla eut fini de manger, il regagna sa chambre.

– Un gourmet pauvre, mais un gourmet quand même, lança Antonio avant de changer de sujet. Vous savez qu'aujourd'hui, c'est un jour très spécial ? me demanda-t-il. C'est la dernière séance au cinéma Bolívar. Il va être transformé en salle de jeux. J'y suis toujours entré gratuitement. L'ancien proprié-taire, paix à son âme, était un de mes amis et les ouvreurs ne me font pas payer quand il n'y a pas grand monde.

– *The Last Picture Show*... Vous vous souvenez de ce film ?

– Nous allons plutôt voir un film porno. Vous verrez, ça remonte le moral.

– À quelle heure ?

– Disons cet après-midi, à trois heures, ça vous va ?

– Parfait. Je vais faire une petite sieste et on se retrouve après.

Le taxi nous laissa sur le Prado. Nous marchâmes lentement jusqu'au cinéma. Malgré ses problèmes de santé et ses
soucis d'argent, le vieil homme était d'excellente humeur.

– Quand j'étais jeune, commença-t-il, il n'y avait pas de
quotas d'immigration pour les Latino-Américains aux États-
Unis. Celui qui voulait y aller pouvait y rester sans problème.
Moi, ça ne m'a jamais tenté. En revanche, les pays d'Europe
me faisaient rêver. Paris surtout. Si j'avais été en poste dans
la Ville lumière, je n'en serais jamais reparti. Je vous parle
du Paris de l'entre-deux-guerres, celui de Picasso, Modigliani,
César Vallejo et Henry Miller. Malheureusement, mes petits
camarades du ministère des Affaires étrangères, à l'époque
où le MNR était au pouvoir, m'ont toujours envoyé dans des
lieux inhospitaliers comme Puno ou Calama. J'y ai passé de
bons moments, mais j'aurais voulu être affecté ailleurs.
J'adorais Valparaiso. Je me suis amouraché là-bas de toutes
les petites putes qui travaillaient dans les bars du port.
J'aimerais beaucoup y finir mes jours, mais au train où vont
les choses, je serai enterré dans le caveau familial des
Alcorta, tout en marbre. Si jamais vous revenez au pays, vous
viendrez m'y rendre visite car je n'en bougerai pas jusqu'au
Jugement dernier.

– Vous êtes trop pessimiste. Moi, je vous trouve en forme.

– Après soixante ans, la vie est une loterie au jour le jour.
On trébuche, on passe un an au lit et on meurt, souffla-t-il en
lissant sa moustache argentée. Quand j'aurai envie de me suicider, je n'aurai pas besoin de poison ou de pistolet. Il me suffira de prendre le train pour Cochabamba et une semaine plus
tard l'asthme m'aura envoyé dans l'autre monde.

Antonio s'acheta des bonbons et en enfourna un dans sa
bouche avec délectation. Il portait une lourde veste en peau
doublée de fourrure, faite pour affronter les grands froids.

Le dernière projection du Bolívar était celle d'un film inti-
tulé *Coucher de soleil à Istanbul*, une production italienne.
Antonio lança un aimable sourire à l'employé derrière le
guichet ; quant à moi, je glissai un peso dans sa main. La salle
était presque pleine. Je parvins à m'habituer aux odeurs
fortes qui se dégageaient du public. Antonio s'installa au premier rang, ne voulant rater aucun détail des scènes érotiques.
L'intrigue était on ne peut plus simple : un couple français (lui,
d'âge mûr ; elle, la trentaine) passe ses vacances à Istanbul et
visite la basilique Sainte-Sophie. L'homme est impuissant ; la
femme, nymphomane, adore les gros durs. Le mari tire un
plaisir certain à envoyer sa femme chercher des partenaires
dans les quartiers populaires. Un soir, elle couche avec un
Turc. Le Français s'assoit au bord du lit, une bouteille de
cognac à la main, et regarde sa femme et le type s'accoupler
sauvagement en invoquant Allah en arabe. Antonio m'avoua
avoir déjà vu trois fois ce film.

Je me rendis aux toilettes. Tandis que je me soulageais,
j'entendis un couple se disputer, puis se réconcilier. Les
gémissements qui s'élevèrent ensuite m'indiquèrent claire-
ment que cet homme et cette femme étaient très inspirés par
le *Coucher de soleil*. Debout sur la cuvette, je les observai,
enlacés comme des larves. L'homme semblait avoir trop bu
et la femme était manifestement sous ecstasy. Tous deux

184 s'abandonnaient l'un à l'autre comme s'ils allaient bientôt mourir.

– Je suis le Turc, murmura l'homme.

– Sale Turc… lui répondit-elle.

De retour dans la salle, je racontai à Antonio ce à quoi je venais d'assister.

– Voir Istanbul et mourir… conclut-il.

Pendant la séance, Antonio avait mangé une empanada froide, une dizaine de chocolats et un tamal. Le film s'acheva sur le retour du couple de Français dans le pays de leurs ancêtres. Les deux larrons avaient rapporté dans leurs bagages un petit souvenir de Turquie : un lutteur débile d'une centaine de kilos, chauve, avec un nez de tamanoir et une bouche de petit agneau.

Nous quittâmes la salle à dix-neuf heures.

– Il faut que j'y aille, dis-je à Antonio. Souhaitez-moi bonne chance.

– Bonne chance. Quoi que vous fassiez.

Je me dirigeai vers la rue Santa Cruz. Le soir tombait imperceptiblement. Le soleil, pâle, s'était caché derrière l'Altiplano. La nuit s'annonçait. Il faisait doux, sans un souffle de vent. Un climat festif régnait dans les quartiers nord de la ville, on aurait pu se croire à la veille de carnaval. J'entrai dans le premier bar que je trouvai pour descendre cul sec un demi-verre de pisco rehaussé de quelques gouttes de citron. Je commandai ensuite une bière pour chasser le pisco, puis un autre pisco pour chasser la bière. Je me sentais ragaillardi, prêt à aller au bar de Yujra.

Une demi-heure plus tard, j'étais passage Ortega, à me frayer un chemin parmi les vendeurs et les acheteurs. J'étais serein, optimiste : je sentais le poids de la matraque glissée dans mon pantalon. Le Luribay était quasiment vide de clients, à l'exception de deux ou trois ivrognes qui passaient leur journée là. Quand j'entrai, Yujra les invitait justement à vider les lieux.

– Dehors, bande de cons, rugissait-il.

– Juste un petit verre, supplia l'un d'eux. On se le partage et on part. Allez… sois pas comme ça, mon frère.

– Je ne suis pas ton frère, protesta Yujra. Je ne suis pas le frère des clochards.

– On a de l'argent, précisa un autre type. Après, on ira chez Rafa.

– Et elle te fera boire de l'alcool pur. Moi, ici, je ne vends pas de cochonneries.

– Me dis pas qu'on t'a fait téter des alcools de luxe quand tu étais bébé !

Yujra l'empoigna par les revers de sa veste et lui assena un coup de tête. Un son sourd s'éleva, rappelant celui que fait un camion en écrasant une pastèque.

– Tu te souviens quand ce Péruvien t'a envoyé au tapis ? s'écria un autre client en tirant un canif de sa poche. Il n'était pas beau à voir, le champion des poids lourds, hein ? Tu as dû partir en brancard, tu t'en souviens, de ta sortie de ring ? Depuis, tu es à moitié taré.

Yujra se précipita sur le type, mais pas assez vite. L'autre lui planta son couteau dans une fesse. Yujra était robuste, et n'avait apparemment rien senti. Il se leva et envoya un direct du droit dans le torse du soûlard, qui s'effondra. Le patron, à genoux, continua de frapper sans pitié.

– Ça suffit… bredouilla l'ivrogne. Tu es… toujours un champion…

– Je ne veux plus te voir ici, grogna Yujra.

– OK.

Yujra retourna derrière le comptoir pour soigner sa blessure. Il continua son travail comme s'il avait simplement été piqué par un moustique. Je commandai un huislulu et m'installai devant la fenêtre pour observer Arminda, occupée à peser des pépites d'or. Le vendeur était un gars au teint terreux coiffé d'un chapeau de paille. Il suivit l'opération sans ciller puis quitta le bureau après avoir empoché son argent.

Severo fit ensuite entrer un vieillard en bras de chemise, un chercheur d'or des forêts humides qui ne souffrait pas du froid dans la capitale la plus haute du monde. Arminda l'expédia. Puis elle ferma les tiroirs, rangea les balances, verrouilla le coffre-fort, fit ses comptes et plaça l'or dans une mallette.

C'était à mon tour d'entrer en scène. Je réglai ma note et m'échappai du gourbi de Yujra. Je n'avais pas songé qu'il me fallait cacher mon visage. J'allai vite acheter une paire de bas dans une boutique du passage. Afin de ne pas perdre Arminda et son assistant de vue, je me cachai derrière une échoppe de fruits plongée dans la pénombre.

Ils apparurent peu de temps après, pleins d'assurance, un grand sourire aux lèvres. Je me précipitai rue Tumusla, tenant à arriver à la maison de la rue Colón avant eux. De là, je pris le premier taxi qui passait. Il me laissa à l'angle des rues Potosí et Ayacucho. Je remontai cette dernière à grands pas, sentant mon cœur s'emballer. Je n'étais plus assez endurant pour supporter ce genre de périple. Place Murillo, je m'arrêtai sur les marches du Parlement pour reprendre mon souffle. Des députés et des sénateurs passaient à côté de moi, éthérés. Je repartis à toute vitesse et gagnai la rue Ballivián. Les vêpres commençaient dans l'église du Carmen. Je me glissai dans la foule de paroissiens et me cachai derrière la colonne qui divise la grande porte, d'où j'avais une vue d'ensemble appréciable. Je n'eus pas à attendre longtemps pour apercevoir Severo et Arminda, qui disparurent sous le porche de la vieille maison.

Le cordonnier s'apprêtait à clouer une semelle. Il travaillait dos au passage. Ce détail m'était favorable. Severo ne tarda pas à ressortir, affichant des airs satisfaits d'Indien arriviste. Comme la première fois, il alla dîner. Arminda était désormais seule dans la garçonnière. Je m'éloignai de l'église, traversai la rue, m'engouffrai sous le porche avec la légèreté d'une

danseuse du Bolchoï. Le cordonnier était toujours penché sur
sa chaussure, travaillant religieusement. Je pus atteindre le
patio sans qu'il remarque ma présence et restai près de la
fontaine pour observer l'appartement. L'une des fenêtres
était faiblement éclairée. Il était vingt heures trente. Le riche
amant d'Arminda arrivait généralement à vingt et une
heures, ce qui me laissait une demi-heure pour agir. C'était
plus que suffisant. L'obscurité du patio me protégerait.
J'enfilai tant bien que mal le bas Nylon, qui déformait non
seulement mes traits, mais aussi ma vision. Je montai les
escaliers, tirai le diamant de ma poche. J'actionnai la poignée
de la porte au cas où, mais celle-ci était fermée. Je devais
donc étrenner mon diamant. J'avais très souvent assisté à
cette opération. Je traçai avec délicatesse un petit carré dans
la partie inférieure du verre, près de la poignée, fourrai le diamant dans ma poche et frappai légèrement du coude sur le
verre sans qu'il se passe rien. J'essayai avec plus de puissance. Le verre vola en éclats sur le carrelage, de l'autre côté
de la porte.

Le bruit aurait pu réveiller un mort. J'étais immobile.
J'ignorais comment je réagirais si Arminda sortait. Sans
doute prendrais-je mes jambes à mon cou. Trois interminables minutes s'écoulèrent sans qu'elle donne signe de vie. En
retenant ma respiration, j'ouvris la porte et la refermai. Mes
yeux s'habituèrent à l'obscurité. Je me trouvais dans une cuisine qui faisait également office de buanderie. Je m'engageai
dans un couloir. Sur ma gauche, une porte s'ouvrait sur une
salle à manger et, sur ma droite, il y avait un salon. Au fond,
une troisième porte, qui donnait probablement sur la
chambre. Un faisceau lumineux filtrait en dessous. Je frisson-
nais de peur ou d'inquiétude, je ne sais pas exactement. Des
anguilles électriques me parcouraient le corps. Je rassemblai
assez de courage pour atteindre la porte. En l'ouvrant, je
compris qu'Arminda n'avait pas entendu le verre se briser. La

pièce était spacieuse, les murs couverts de papier peint criard. Un grand lit y trônait, du genre lit d'hôtel bas de gamme, sur lequel reposaient deux oreillers roses. À cela s'ajoutaient une vieille penderie et deux fauteuils aux dossiers surchargés de vêtements, ainsi qu'une commode où trônaient deux mallettes en cuir. Arminda n'avait rien entendu. Elle n'avait rien entendu parce qu'elle prenait une douche. Les dieux étaient avec moi.

La porte de la salle de bains était entrebâillée, peut-être pour lui permettre de surveiller les mallettes. Inutile de dire que je marchais sur des œufs. J'aperçus un rideau de douche et la silhouette d'Arminda. La vapeur avait transformé l'endroit en sauna, à tel point qu'il était difficile de distinguer quoi que ce soit. Je pivotai et m'emparai des mallettes pour les poser sur le lit. Celle qui contenait l'or pesait une tonne. J'avais ma matraque à la main au cas où les choses tourneraient mal.

L'autre mallette était remplie de dollars. L'or ne m'intéressait pas, mais les liasses de billets me faisaient l'effet de diamants en papier. À première vue, il devait y avoir vingt mille dollars. Je pris l'une d'elles et comptai dix billets de cent, la somme qu'il me fallait. Mais la cupidité de l'homme n'étant comparable qu'à son désir de destruction, je glissai d'autres liasses dans ma poche en implorant le pardon divin. « Une ou plusieurs, cela revient au même », me dis-je pour me donner bonne conscience. Je sentis alors un souffle d'air chaud et embué que je pris d'abord pour un léger courant d'air dans la pièce. J'étais tout absorbé à ma tâche. À ma grande surprise, une silhouette émergea de ce nuage brumeux. Je resserrai mes doigts sur la matraque, prêt à l'abattre sur la tête d'Arminda. Je n'en eus cependant pas le temps. La serviette glissa par terre, me dévoilant une impressionnante quantité de poils. La peau d'Arminda était plus mate que dans mon souvenir et une opération diabolique avait changé son corps

tout en courbes en silhouette massive et musclée. Son visage
blanc et sensuel était devenu un masque grossier et masculin.

– Qui êtes-vous ? demanda l'homme d'une voix rauque.

Je ne répondis rien. J'avais la gorge sèche telle une mine de salpêtre dans le désert d'Atacama. Par un étrange phéno-mène de transmutation, Arminda s'était métamorphosée en Gustavo, l'oncle d'Isabel. Avec la vivacité d'un félin, il m'arracha le bas qui recouvrait ma tête.

– Le petit professeur ! s'exclama-t-il. Le petit professeur qui vient me voler mon argent !

– Qu'est-ce que tu dis ? cria Arminda depuis la salle de bains.

Il m'empoigna par le cou. Il était plus âgé, mais plus fort que moi. Je baissai les yeux sur son membre, qui me parais-sait impressionnant.

– Comment m'as-tu trouvé ?

– J'ai besoin d'argent pour mon visa, bredouillai-je.

– Un visa ? Quel visa ? demanda-t-il comme s'il venait de voir Lazare en train de siroter une tasse de thé après avoir ressuscité.

– Un visa pour les États-Unis.

– Tu me prends pour un con ou quoi ? Pose cet argent !

Au lieu de m'exécuter, je lui donnai un coup de genou dans les testicules, qui ressemblaient à deux figues séchées.

– Qu'est-ce que tu dis ? répéta Arminda.

Gustavo tenta de reprendre ses esprits, une lueur de féro-cité dans les yeux. Nu comme un ver et encore mouillé, il glissa sur le sol. Je voulus m'enfuir, mais mes jambes ne m'obéissaient plus. Il finit par se relever et m'assena un direct qui aurait pu détacher une statue de bronze de son socle. Je levai la matraque et la laissai retomber avec force sur son crâne humide. Il accusa le coup, paralysé, les yeux écar-quillés. Profitant de ce moment d'absence, je tentai à nouveau de m'échapper, mais il était fort, si fort que, même sonné, il eut le réflexe de me saisir par les cheveux et de m'immobiliser.

– Tu ne fileras pas, petit merdeux !

Mais il ne pouvait avoir prise sur le reste de mon corps car je m'agitais comme une mangouste dans un nid de serpents. Nous nous livrâmes à une pantomime au ralenti, à croire que nous évoluions dans des eaux marécageuses. Je sentais son haleine chargée de whisky et d'épices, j'entendais ses insultes. Au prix d'un effort surhumain, je pus finalement m'écarter un peu de lui et lui assenai un autre coup de matraque. En plein front cette fois-ci. Il me lâcha et s'écroula contre le dossier d'un fauteuil. N'attendant que cela, je le frappai plusieurs fois de suite jusqu'à ce qu'il s'effondre par terre, non sans m'avoir lancé au préalable un regard à la fois haineux et résigné. Je me penchai pour plonger mes yeux dans les siens jusqu'à ce qu'il perde connaissance.

Je le quittai en tentant vainement d'écouter les battements de son cœur. À l'évidence, Gustavo avait quitté ce monde et gagné d'autres galaxies.

– Passe-moi une serviette ! cria Arminda.

Un filet de sang se répandait sur le linoléum gris. Bêtement, je pensai à un fleuve minuscule cherchant une mer dans laquelle se jeter.

Un clin d'œil du destin avait fait de moi un meurtrier. C'était un détail de plus dans ma vie, le plus important depuis ma naissance, le plus transcendantal aussi, plus significatif que le jour où mon fils était venu au monde ou celui du départ d'Antonia. J'avais toujours considéré le meurtre comme un acte littéraire ou cinématographique relevant de la pure fiction. Et voilà qu'en cinq minutes, j'avais réussi à rendre mon passé négligeable. Désormais, j'allais devoir supporter tout ce qui m'arriverait au jour le jour, heure par heure, jusqu'à ce que, comme Gustavo, je cesse enfin de respirer, anesthésié à jamais.

– Alors, cette serviette, ça vient ? s'égosillait Arminda.

J'imaginais les hurlements qu'elle pousserait quelques minutes plus tard en découvrant le corps sans vie de son associé et amant. Je quittai l'appartement, parfaitement conscient de ce que je faisais. Je n'avais pas droit à l'erreur. Dans le patio, je croisai deux enfants qui jouaient à cache-cache. Le cordonnier collait une semelle sur une chaussure en forme de canoë. Une Indienne de Potosí, de celles qui gagnent leur vie en vendant des citrons, s'était installée devant le porche et s'apprêtait à manger une soupe... Quatre témoins qui étaient sur une autre planète.

Une fois dehors, je pressai le pas et me dirigeai vers la rue Indaburo. J'avais les nerfs en pelote. Par chance, les rues étaient désertes. Je voulus prendre un taxi, mais me ravisai à cause des embouteillages. Mieux valait continuer à pied, sans paniquer. J'étais étonnamment calme, mon cœur battait à nouveau normalement. Place Jenaro Sanjinés, je regardai la foule massée devant le Théâtre municipal. On donnait ce soir une adaptation libre de Brecht, intitulée *La Buena Dama*. Ce vieux Bertold aurait peut-être approuvé mon crime, car Gustavo était un être néfaste, un déchet, comme la vieille femme qu'assassine Raskolnikov dans *Crime et Châtiment*.

Je marchai dans la rue Comercio. Habitués au froid, les habitants de La Paz se promenaient comme s'il faisait vingt degrés. Je passai à côté d'un comédien qui amusait la foule en racontant des histoires drôles. Quelques putes tapinaient avec si peu d'entrain qu'on aurait dit des vaches défilant à une foire agricole. Les vendeurs ambulants s'étaient donné rendez-vous place Pérez Velazco au milieu des mendiants, des jeunes homosexuels et des petites frappes. Sur le parvis de l'église San Francisco, je me débarassai de la matraque et du diamant en les glissant dans un caniveau.

Un groupe de rock chrétien divertissait les passants, les gens faisant cercle autour d'eux. J'avais l'intention de traverser la rue Santa Cruz et de regagner l'hôtel au plus vite pour compter les dollars qui me brûlaient les poches. Je me frayais un passage dans la foule quand quelqu'un me saisit par le bras.

– C'est vous que je cherchais, me dit l'inconnu, un jeune en veste noire, chemise blanche et cravate rouge.

Il souriait.

– Qu'est-ce que vous voulez ?

– Vous avez été choisi pour tirer une carte et prouver à ce public incrédule que mes tours ne sont pas truqués.

Sur ce, il m'entraîna là où il avait disposé ses accessoires de magicien itinérant.

– Mesdames et messieurs, je n'ai jamais vu cet homme auparavant ! s'exclama-t-il en s'adressant à l'assistance.

– Je ne vous ai jamais vu non plus, balbutiai-je, encore sous le choc.

– Il dit la vérité. Je n'ai ni complices, ni amis et c'est pourquoi je suis honnête.

Il me tendit un jeu de cartes et me demanda d'en choisir une. Je tirai la reine de cœur.

– Et maintenant, mesdames et messieurs, poursuivit-il, je vais vous dire de quelle carte il s'agit. Monsieur, regardez bien la carte que vous avez entre les mains.

Il s'éloigna de quelques mètres, baissa la tête en faisant mine de réfléchir, avant d'annoncer :

– La reine de cœur.

Tout le monde applaudit. Le magicien prit dans sa poche un magnifique étui doré dont il sortit une cigarette qu'il m'offrit.

– J'ai de grands pouvoirs, déclara-t-il. Je peux par exemple vous dire, les yeux bandés, ce que cet homme cache dans ses poches.

Il me fit un clin d'œil en souriant.

– Merci, dis-je, mais ma fiancée m'attend au manège.

Le public s'esclaffa. J'en profitai pour m'éclipser et remonter la rue Santa Cruz à grandes foulées, persuadé que le regard ironique du magicien me suivait. S'il savait ce que j'avais dans mes poches, il n'ignorait probablement pas que je venais de voler Gustavo, mais je me rassurai en me disant que je n'avais rien à craindre de cet illusionniste amateur.

Blanca discutait avec deux filles du Tropicana dans le hall de l'hôtel. Elle était affublée d'une robe comme en portent les femmes latino-américaines ou noires dans les discothèques du Bronx.

– Qu'est-ce qui t'arrive ? me demanda-t-elle.

– Rien.

– Tu es tout pâle. Tu ne devrais pas boire autant. Comment trouves-tu ma robe ? Je l'ai achetée dans la galerie de la rue Huyustus.

– Elle est superbe.

Elle me caressa les cheveux en me regardant lascivement.

– Tout blanc comme ça, tu me plais encore plus.

– Je vais dans ma chambre. On se retrouve plus tard, si tu veux.

– Antelo organise une soirée d'adieu, dit Blanca en jetant un coup d'œil dans son miroir de poche.

– On se voit là-bas.

Je demandai ma clef et montai. J'étalai les dollars sur le lit : des billets de cent, de cinquante et de vingt. Je les touchai avec tendresse et les comptai avec soin. Au total, il y avait deux mille trois cent vingt dollars. Le prix de ma libération et de la mort de Gustavo. Sur la balance de la vie, nous étions maintenant à égalité. Je m'allongeai en tremblant et fermai les yeux. Le crime défilait dans ma tête, et je craignais que la scène de la matraque s'abattant sur le crâne de Gustavo ne devienne un cauchemar récurrent.

Je restai longtemps à palper les billets verts, que je lançais en l'air pour les voir s'étaler sur ma poitrine. Ils avaient un charme maléfique et étrange, ils étaient le fruit d'un rêve baigné de sang.

– Mario !

J'ouvris la porte pour découvrir le visage malicieux d'Antonio. Il commença une phrase qu'il ne put finir car il fut pris d'une quinte de toux qui dura une quinzaine de secondes.

– C'est Antelo qui m'envoie vous chercher. Il organise une petite fête car il a reçu son affectation comme sous-directeur des douanes à Santa Cruz. Ce travail peut le rendre très vite millionnaire. Pour fêter l'événement, il a acheté une bonne bouteille de pisco, du vin et de la bière. Voilà un analphabète qui a de la chance.

– J'arrive.

Je glissai les dollars sous le matelas après avoir prélevé trois billets de vingt. Antelo avait invité Blanca, Gardenia, Videla, Antonio et deux entraîneuses du Tropicana que j'avais déjà vues dans le hall de l'hôtel.

L'ancien gardien de but était aux anges. Prêt à partir sous les tropiques, il portait une horrible veste verte et un pantalon blanc. Il s'était rasé et parfumé comme un cheikh qui rend visite aux femmes de son harem.

– Mario, mon ami, me dit-il. J'ai obtenu tout ce que je voulais. Maintenant, je peux radoter comme il me plaît, personne ne m'en empêchera. Venez avec moi dans cette région magnifique, vous verrez que la vie y est douce et que les jolies filles ne manquent pas. Qu'en dites-vous ?

– Qu'est-ce que je ferais à Santa Cruz ?

– Aux douanes, on a parfois besoin de conseillers. Ne me dites pas que vous n'êtes pas au courant.

– Je vous remercie, mais je ne suis même pas du même bord politique que vous.

– Et alors ? Vous n'avez qu'à prendre votre carte ! Il vous suffit de prêter serment et on vous la donnera. Avec ça, personne ne portera la main sur vous.

– J'ai l'argent pour mon visa. Mon parrain me l'a avancé.

– Dans ce cas. L'Amérique est plus sûre, mais moins drôle, surtout à votre âge.

Gardenia s'était habillé en homme. Il portait une veste en cuir et un jean. Avec les entraîneuses, il se moquait des airs de chien battu de Videla. Tendre comme à chaque fois qu'elle avait un coup dans le nez, Blanca m'enlaça dès qu'une chanson s'éleva du transistor.

– Viens danser et ne fais pas cette tête. Personne ne va te manger.

– Je suis toujours pâle ?

– L'alcool va te redonner des couleurs. Qu'est-ce qui ne va pas ?

Elle me tendit une bière et trinqua avec moi.

– Je suis une femme indépendante, soupira-t-elle. Si j'en ai envie, je m'en vais, sinon je reste avec mon petit ami. Mais tu n'es pas mon petit ami, tu es un fou qui n'a besoin de personne.

Tout le monde salua l'arrivée du garçon qui apportait des poulets grillés, des pommes de terre au four, des bananes plantain, des pickles et de la sauce piquante.

– Le libertinage culinaire est le seul que je puisse encore me permettre à mon âge, me dit Antonio. Le film vous a plu ?

– J'ai bien aimé. Je crois qu'en cas de maladie grave, c'est bien d'avoir une Turque vicieuse dans son lit.

– Je suis d'accord avec vous, mais l'euthanasie sexuelle n'est pas à la portée de toutes les bourses.

– Vous parlez encore des femmes turques ? s'écria Blanca. Qu'est-ce qu'elles ont donc de plus que nous ?

– Faites attention, répondit Antonio en riant. En altitude, la jalousie est mauvaise pour la tension.

– Tu trembles, dit Blanca en me prenant la main.

– Parce que je suis aussi ému qu'Antelo. Il va bientôt sortir de la pauvreté. Même Lev Yashin, l'Araignée noire, n'aurait pas fait mieux.

– Tu es bizarre. Tu as l'air absent.

Je la pris par la taille. Elle se laissa faire et posa sa tête sur mon épaule.

– Emmenez-la donc aux États-Unis, suggéra Antonio. Vous ne serez jamais seul avec une femme comme elle. Les Américaines sont des descendantes de Nordiques ou d'Anglo-Saxons. Vivre avec elles, cela revient à apprendre de nouveau à écrire.

– Je ne bougerai pas d'ici, déclara Blanca. J'aime mon pays.

– Et tu es un bel exemple du fatalisme patriotique.

Antelo vacillait comme un bourdon prisonnier d'une bouteille. Les entraîneuses du Tropicana mangeaient avec appétit. Ces Quetchuas à la peau cuivrée avaient la sensualité propre au métissage indien et espagnol. Mais avec la vie qu'elles menaient, elles vieilliraient vite. À vingt ans, elles étaient déjà marquées par la fatigue des putes qui ont fêté leurs noces d'or au bordel.

Je voulais éviter de me soûler pour être lucide au cas où la police ferait irruption. La première chose que les inspecteurs veulent, c'est un alibi, or je n'en avais pas. Je devais pouvoir justifier ce que j'avais fait dans la demi-heure qui avait suivi le moment où j'avais quitté Antonio au cinéma Bolívar. Il ne fallait surtout pas que je parle du verre que j'avais bu au Luribay, car la maîtresse de Gustavo travaillait juste en face. J'avais l'intention de parler à Blanca pour qu'elle dise qu'elle était avec moi, mais j'avais assassiné un notable, et la pauvre, qui n'était somme toute qu'une fille de la campagne, s'inquiéterait si on l'interrogeait. Elle irait peut-être même jusqu'à paniquer. La meilleure chose à faire était de geler les heures et d'affirmer qu'après le film j'étais rentré à l'hôtel pour me coucher en raison d'une migraine à faire voir les étoiles.

Pour calmer mon angoisse, je pris de l'aspirine. Blanca ne m'avait pas vu rentrer à l'hôtel, mais quelqu'un d'autre – le gérant fouineur ou son assistant – se souvenait peut-être de l'heure à laquelle j'étais passé prendre ma clé. L'assistant me l'avait remise, mais c'était un alcoolique étourdi. Je pourrais facilement lui graisser la patte avec une centaine de dollars. Yujra faisait lui aussi partie du casse-tête qui me tourmentait. Si la presse parlait du meurtre d'un sénateur, ce type se souviendrait sûrement qu'il m'avait vu tourner autour du bureau d'Arminda. J'avais été deux fois dans son bar. Au milieu des clochards qui fréquentaient les lieux, un individu de classe moyenne ne passait pas inaperçu. Si je voulais suivre les règles des romans policiers américains, je devais supprimer Yujra, qui était le témoin gênant, mais je n'avais pas le courage d'assassiner un autre homme. Sans compter que la tâche ne serait pas facile et que si je ratais mon coup, c'est moi qui me retrouverais dans l'autre monde. Il valait mieux attendre. Avec un peu de chance, les policiers croiraient à un règlement de comptes ou à l'œuvre d'un groupuscule trotskiste. La première chose à faire était de mettre mon butin en lieu sûr…

– Buvez donc une bière et arrêtez de vous faire un sang d'encre pour ce visa, me conseilla Antonio. On peut tout acheter avec de l'argent, sauf la mort. Car elle est honnête.

– Tu as pu trouver l'argent ? lâcha Blanca d'un ton aigre. On peut savoir quand tu as l'intention de partir ?

– Très bientôt.

– Et qui te l'a prêté ?

– Mon parrain, dans un accès de sentimentalisme.

– Un vrai conte de fées.

L'une des entraîneuses du Tropicana nous rejoignit. Elle se prénommait Fresia, mais avait un nom de famille polonais, un métissage aussi détonnant qu'un cocktail Molotov.

– Dans cette fête, les invités sont tous un peu déjantés, à part vous, Mario, mais vous êtes déjà pris.

– S'il continue, Antelo va tout casser, fit remarquer Antonio.

– Il n'a plus un sou, dit Fresia en lui lançant un coup d'œil en biais.

Je la pris à part et lui dis à l'oreille :

– Je vous propose un marché.

Elle m'écoutait, les mains sur les hanches.

– Je veux que vous fassiez l'amour à Antonio. C'est moi qui paye.

– Le petit vieux ?

– Si rien ne se passe, je vous donnerai quand même l'argent. Ça vous va ?

– Cinquante dollars et je vous le ressuscite.

Antonio était en train de manger un gâteau aux pommes qu'avait apporté Gardenia.

– C'est l'heure de mon Tedral, soupira-t-il. La pharmacie de garde est rue Bolívar, autant dire que ce n'est pas la porte à côté !

– Vous avez le temps... Pour le moment, occupez-vous de Fresia. Elle est née dans la ville de Potosí, patrimoine mondial de l'Unesco.

– Potosí, répéta Antonio. J'y suis allé à la même époque qu'Édouard VIII quand il était encore prince de Galles. On l'avait logé à la préfecture. Malheureusement, il n'y avait pas de toilettes, et quand il a eu une envie pressante, ça a déclenché un véritable tollé diplomatique. Il a fallu l'escorter jusqu'à un hôtel voisin. Quand il a eu fini, nous avons dû le raccompagner. J'espère qu'il n'est pas allé raconter ça dans ses mémoires ! C'était dans les années vingt et je débutais au ministère des Affaires étrangères. J'étais assistant au service du Protocole.

– Cet homme-là ne bandera jamais, même avec une attelle, me confia Fresia.

J'entraînai Antonio à l'écart. Il avait les yeux luisants de curiosité.

– Comment trouvez-vous Fresia ?

– Joli mélange d'Européen et de Quetchua.

– Elle est prête à faire l'amour avec vous. Ça ne vous coûtera pas un sou.

– Encore une de vos plaisanteries, mon cher Mario.

– Pas du tout. Nous en avons déjà discuté et je vous donne ma parole que c'est vrai.

– J'ai besoin de mon médicament. Sans Tedral, je suis un grand noyé.

– Je vais envoyer quelqu'un le chercher. Alors, ça vous dit ?

– Ça fait si longtemps que je n'ai pas couché avec une femme… Combien prend-elle ?

– Peu importe. Vous croyez que vous en êtes encore capable ?

– Bien sûr ! On ne m'a pas encore enlevé la prostate et mon cul est aussi vierge que le cœur de l'Amazonie. Ne vaudrait-il pas mieux que vous me prêtiez cet argent pour payer ma chambre ?

– Non, ce que je veux, c'est que vous preniez du bon temps. La chambre, je m'en fiche.

– Vous êtes un homme cruel, Mario, mais puisque je n'ai pas le choix…

Munie d'un fume-cigarette, Gardenia recrachait la fumée à la manière de Lauren Bacall dans un film des années cinquante.

– Trouver huit cents dollars dans cette ville n'est pas une chose facile, dit-il. Tu nous manqueras. Nous nous étions habitués à toi.

– Barcelone est une jolie ville, murmurai-je.

– Avant d'aller là-bas, je dois me faire opérer pour me libérer du petit oiseau qui est en trop…

– Moi, je te conseillerais de le garder au cas où. J'ai connu un transsexuel argentin qui a subi cette opération parce qu'il aimait les garçons, mais quelques années plus tard il s'est aperçu qu'il préférait les filles. Il est devenu lesbien. C'était tragique, il ne pouvait plus revenir en arrière et se faire greffer un pénis.

– Quelle histoire ! s'esclaffa Gardenia. Ça ne m'arrivera pas, alors ne parle pas de malheur !

– À Barcelone, fais attention aux seringues usagées et aux séropositifs. Apparemment, la Méditerranée est un paradis pour le virus.

– C'est un virus qui a de la classe, répliqua Gardenia.

Antelo vint se joindre à nous. Il arborait un large sourire.

– Mon parti a été à la hauteur, déclara-t-il.

– Le MIR est un parti multicolore, dit Antonio d'un ton moqueur.

– Avec ces mains qui ont arrêté tant de ballons, vous allez pouvoir voler tout ce que vous voulez, décréta Gardenia.

– Ne venez pas me demander de vous aider plus tard, grommela Antelo.

– Allons, lâchai-je pour le calmer. Nous savons tous que vous êtes honnête.

Antelo tenta de nous prendre dans ses bras. Son haleine chargée de pisco me fit suffoquer.

– Toutes ces entraîneuses travaillent pour le ministère de l'Intérieur, dit-il en regardant Fresia se servir une part de gâteau.

– Vous croyez vraiment ? demandai-je, à nouveau gagné par l'anxiété.

– Mais non, me rassura Antonio. Elles sont si bêtes qu'elles confondent Pol Pot et complot.

– Pol Pot ? répéta Antelo. Là, je suis perdu.

– Le Khmer rouge.

– C'est où, ça ?

La porte du hall s'ouvrit soudain, laissant apparaître le visage fané et le sourire éteint de Videla.

– À la vôtre ! s'écria-t-il en levant son verre. Si Antelo, mon pote du Chaco, part à Santa Cruz, je le suivrai !

– Attention, je ne suis pas du Chaco, j'ai juste été le gardien
de but du Chaco Petrolero.

– Cette équipe est devenue merdique.

– Oui, ils n'ont plus de jeunes talents prometteurs, convint Antelo.

– À Santa Cruz, cher colporteur, vous pourrez toujours vendre votre tristesse, intervint Antonio.

– Personne ne l'achètera. Là-bas, les gens sont gais, dit Gardenia.

Blanca s'approcha de nous pour trinquer.

– Je porte un toast à Antelo, qui a souffert comme une fille-mère pour décrocher ce poste !

Antelo leva lui aussi son verre. Une larme glissa et grossit le long de sa joue.

– Vous êtes ma famille, bredouilla-t-il.

L'infatigable vendeur invita Patricia, l'autre entraîneuse du Tropicana, à danser. C'était une femme brune et rondelette qui, aux États-Unis, aurait pu gagner sa vie sur un ring itinérant de combats de catch. Ils formaient à eux deux un spectacle divertissant : elle dansait la salsa, lui, le tango, tandis qu'un merengue s'élevait du transistor.

Complètement ivre, Blanca m'attira dans un coin.

– Toi, tu as quelque chose à te reprocher, murmura-t-elle. Qu'est-ce que tu as fait ?

– Je suis allé au cinéma avec Antonio, puis au salon de coiffure de mon parrain, c'est tout.

– Tu as volé l'argent, n'est-ce pas ?

– Tu es folle ! Il m'aime comme si j'étais son fils et je compte le rembourser. Je suis honnête. Quand je serai là-bas, je t'écrirai pour savoir si tu veux venir toi aussi.

– Tu parles, cette lettre, je ne la verrai pas plus que le visage de Dieu !

La fête se poursuivit. Il n'y avait plus rien à manger. À minuit, Gardenia et Patricia allèrent chercher à boire. Fresia apporta de la cocaïne assez pure. Antonio nous regardait sniffer d'un air intrigué. Videla fondit en larmes en évoquant son père, qui s'était tué sur la route des Yungas. Antelo se mit à sauter sur un lit en arrêtant des ballons imaginaires.

Au bout d'un moment, Antonio s'endormit. Nous le transportâmes jusqu'à sa chambre. Je dis à Fresia que le vieillard l'attendait. Elle me réclama ses cinquante dollars. Je lui en donnai quarante en promettant de lui verser les dix restants le lendemain. Le pisco acheté par Gardenia et Patricia était un véritable purgatif qui nous envoya aux toilettes à tour de rôle. Après plusieurs tentatives ratées, Patricia parvint à alpaguer Videla, qui riait en montrant les dents telle une hyène. Soudain inquiet en songeant à la fortune cachée dans ma chambre, je m'absentai.

Après avoir longtemps réfléchi, j'arrachai l'une des briques mal encastrées dans le sol. J'enveloppai les dollars dans un sachet en plastique, creusai un peu, enfouis mon trésor et replaçai la brique en l'enfonçant avec force. Elle n'avait pas l'air d'avoir été descellée. J'allai rejoindre les autres. Patricia et Videla discutaient du prix d'une passe que le colporteur espérait payer en bouteilles de vin.

– Combien ? demanda Patricia.

– Deux bouteilles de concha y toro.

– Tu peux te les garder !

Fatiguée, Blanca me demanda de l'accompagner dans sa chambre. Elle fut prise de nausées. Je la soutins et l'allongeai sur son lit. Elle alla trois fois de suite aux toilettes, puis s'endormit. En me dévêtant, j'imaginais les gros titres du lendemain : « Mort d'un sénateur roué de coups dans une garçonnière » ; « Politicien assassiné dans d'étranges circonstances » ; « La police recherche le meurtrier d'un riche acheteur d'or ». À cause de l'alcool, je tanguais et oscillais entre l'état de veille et de brefs assoupissements. Je me réveillais alarmé, attentif au moindre bruit suspect.

Pourtant il ne se passait rien. C'était une nuit comme une autre. Les chiens aboyaient au loin et Antelo ne cessait de jurer. Ivre mort, il chantait et s'agitait dans le hall de l'hôtel en insultant le portier de nuit.

Blanca dormait comme une souche. J'enviais son indolence et son sommeil profond, enfantin. Je me levai à l'aube. Prudemment, je gagnai la douche, me rasai et me lavai par un froid polaire, puis m'habillai.

Prenant garde de ne pas la réveiller, je pris mon passeport et les dollars dont j'avais besoin. J'avais l'intention de payer mon visa et de m'acheter des vêtements dignes d'un bourgeois en vacances.

Le ciel, d'un bleu éblouissant, était plein de promesses. Dans le hall de l'hôtel, le portier lisait le journal. Il me lança un regard distrait.

– Cet imbécile d'Antelo a fait la foire toute la nuit, se plaignit-il. Heureusement qu'il s'en va.

– Les nouvelles sont bonnes ? demandai-je en tâchant de paraître détendu.

– Je n'en sais rien, je viens juste d'ouvrir le journal.

Il n'y avait pas un chat dans la rue. Je dus parcourir deux cents mètres avant de tomber sur un kiosque à journaux. J'achetai les quatre quotidiens nationaux. Je cherchai ensuite un café ouvert. Place San Francisco, un clochard solitaire observait les lieux, assis au bord du trottoir, l'air affligé. Dans les rues Pérez Velasco et Comercio, les bars étaient encore fermés. Au bout d'une demi-heure, je trouvai enfin où prendre un petit déjeuner, dans un local de la rue Juan de la Riva. L'endroit sentait le pain chaud. Un jeune homme au visage crispé me servit une tasse de café et deux petits pains tièdes. Avec angoisse, peur et exaltation, je feuilletai les journaux comme jamais je ne l'avais fait de ma vie. Aucun ne parlait du meurtre. Peut-être avait-il été commis trop tard dans la soirée pour figurer dans les journaux du matin. Mais cela ne me rassurait pas et, inquiet, je ne fis pas mentir la phrase qui dit qu'un assassin revient toujours sur les lieux de son crime. Je m'empressai de remonter la rue Colón. Plus forte que ma prudence, ma curiosité me ramena vers la maison où j'avais assassiné Gustavo. Aucun policier n'était en faction devant la porte, tout était aussi paisible que dans un petit village ou un quartier bourgeois. Le portail était grand ouvert. Un type passait le balai dans le patio. Je crus un instant que j'avais rêvé, qu'engourdie par les ans mon imagination venait tout juste de sortir de sa torpeur, mais en palpant les billets dans ma poche je repris conscience de la réalité : j'avais tué un homme.

À neuf heures, après avoir erré sans but dans des ruelles inconnues proches de ce joyau colonial qu'est la rue Jaén, je décidai de me présenter à l'agence Turismo Andino. Je patientai une demi-heure devant la porte avant de voir surgir Ballón. Il me regarda comme s'il avait un scorpion en travers de la gorge. Je lui annonçai que j'avais l'argent pour le visa. Il changea aussitôt d'expression, m'adressa quelques sourires et me proposa même un café. Il ajouta qu'il aurait le visa deux jours plus tard. Je lui fis savoir que je ne pouvais attendre et que j'étais prêt à lui donner deux cents dollars de plus s'il pouvait accélérer les démarches des employés du consulat. Il se décida en voyant les mille dollars étalés sur son bureau. Le nécessaire serait fait dans les vingt-quatre heures.

Je passai le reste de la matinée à acheter des vêtements légers. Il fallait que je me prépare pour Miami, et, surtout, pour l'aéroport. Si j'avais l'air d'un immigrant suspect, on risquait de me renvoyer d'où je venais. Je trouvai tout ce dont j'avais besoin dans une boutique tenue par un Juif. Je dépensai plus de deux cents dollars afin de ressembler à un touriste fortuné. Je fis également l'acquisition de quelques magazines américains, histoire de reprendre contact avec la langue. L'anglais est si dynamique qu'en dix ans, si on ne le pratique pas, on a du mal à lire le *Times* sans l'aide d'un dic-

tionnaire. Vers midi, j'allai déjeuner dans un restaurant
argentin. Cela faisait une éternité que je n'avais pas mangé un
steak tendre et correctement découpé. Le serveur me proposa
un vin rouge de Mendoza. À douze heures trente, tandis que
j'attaquais une salade, le patron, un Argentin blond et
nerveux, alluma le téléviseur qui trônait sur une étagère, en
hauteur.

Sur l'écran, une jeune femme au visage angélique annonça
avec un sourire : « Nous regrettons d'avoir à vous communiquer la mort tragique du sénateur Gustavo Castellón, décédé
d'une crise cardiaque à La Paz, hier à vingt et une heures. »
Elle énuméra ensuite les différentes fonctions que le défunt
avait exercées au cours de son existence aisée tandis que les
caméras se focalisaient sur la famille affligée. Les proches de
Gustavo entouraient son cercueil, placé dans le salon de ce
qui avait l'air d'être une vaste et belle demeure. Je reconnus
sa femme, sa fille, María Augusta, Isabel et Charles. Toute de
noir vêtue, María Augusta était l'image même du deuil théâtral. Isabel la consolait en essayant sans grand succès de
garder une mine de circonstance. Charles ne se donnait pas
cette peine. Il planait et souriait, visiblement ravi de cette
mort. Une marche funèbre servait de fond sonore aux propos
de la présentatrice, qui précisa que le corps du sénateur
serait transféré au Sénat dans le courant de la journée. Là,
feu Gustavo Castellón recevrait les derniers hommages de
personnalités politiques, ecclésiastiques, ainsi que de simples
quidams.

Pétrifié, convaincu de ne pas avoir bien entendu, j'appelai le
serveur.

– Excusez-moi, mais je n'ai pas bien compris de quoi était
mort le sénateur Gustavo Castellón.

– D'une crise cardiaque.

Une telle confusion, un tel mensonge étaient-ils possibles ?
Je n'avais pas rêvé : j'avais assassiné Gustavo à coups de

matraque. En inventant ce scénario ridicule, la police cherchait peut-être à tromper le meurtrier pour mieux lui tomber dessus. Pourtant, la police bolivienne était incapable de ce genre de machination. Certes, d'aucuns avaient tout intérêt à changer le cours des événements et à affirmer que Gustavo était décédé de mort naturelle. Tout cela me profitait : sans crime, il n'y a pas de criminel. Cependant, je me méfiais de la police de mon pays. Si l'imagination lui faisait défaut, l'argent l'intéressait, or l'appartement de la rue Colón était rempli de dollars et d'or. Et je pouvais être un témoin gênant. Si le sénateur avait succombé à un infarctus, la femme lascive qu'était Arminda avait marché dans la combine et son nom ne serait même pas mentionné. J'étais en danger de mort. Et moi, je n'aurais pas droit à des funérailles avec fanfare et honneurs. Je finirais à la morgue et les étudiants en médecine joueraient avec mes testicules.

Blanca dormait encore quand je regagnai ma chambre. Elle balbutiait des phrases incompréhensibles au milieu de ses rêves d'adolescente. Je la réveillai. Elle se leva comme une somnambule et quitta la chambre sans même me dire bonjour. Elle revint au bout d'une dizaine de minutes avec une tasse de café fumant.

– Quand je m'endors à côté de quelqu'un, j'aime bien qu'il soit encore là à mon réveil.

– Je suis allé remettre l'argent au directeur de l'agence.

– Ah ! Et tu es content ?

– Je ne suis jamais allé dans un pays développé.

– Et nous, à ton avis, dans quel monde vivons-nous ?

– Dans un pays sous-développé.

– D'accord. Qui nous appelle comme ça ?

– Les habitants des pays développés.

– Et que faut-il faire pour être un pays développé ?

– Il faut gagner dix mille dollars par an et par individu, avoir au moins une voiture pour trois habitants, la sécurité sociale et partir en vacances en Polynésie…

– Moi, je m'en fous de tout ça.

– Je sais, Blanca. Toi, tu es une fille des savanes et des forêts tropicales. Tu fais partie d'une espèce en voie de disparition. Et moi, je t'invite à dîner ce soir. Dans un bon restaurant. Ça te dit ?

– Je travaille. Je ne peux pas me permettre de passer deux soirs de suite sans rentrée d'argent.

– Combien gagnes-tu en général ?

– Ça dépend. Le vendredi, ça peut aller jusqu'à trois cents pesos.

– Je te les donne et tu n'auras pas besoin d'aller à Villa Fátima ce soir.

– Ne dilapide pas ton argent. Je ne fais pas payer les hommes que j'aime.

– Bon. Je passe te prendre à dix heures.

– Peut-être. J'espère que je n'aurai plus la migraine.

Ses lèvres étaient sèches comme une écorce laissée au soleil de midi dans le Beni.

Au Sénat, l'ambiance était plutôt morne. On y veillait l'un des sénateurs les plus corrompus et les plus arrogants dans l'histoire du pays comme si c'était un saint. La fin justifie les moyens.

J'eus du mal à monter les marches qui menaient à l'intérieur. Il y avait foule. Des cameramen, des députés, des sénateurs, des employés de l'hémicycle, des curieux, des membres du MIR, des femmes soldats aussi effrayantes que des terroristes de l'ETA se bousculaient pour entrer. Quant à moi, j'éprouvais une curiosité morbide et j'avais hâte d'écouter ce qui se disait dans les couloirs du Congrès. J'avais oublié le danger que je courais, la police, ses chiens et ses inspecteurs.

Je me frayai un passage en jouant des coudes et pus enfin gagner le hall où trônait le cercueil de Gustavo. Il était couvert de fleurs et de couronnes mortuaires. Deux soldats montaient la garde à ses côtés. Fusil à l'épaule. Par la suite, j'appris en écoutant la radio que Gustavo avait été ministre de la Défense au sein du gouvernement du général García Meza. La famille au grand complet s'était rassemblée près de la bière : femme, enfants, frères et sœurs, oncles et tantes, cousins lointains qui comptaient peut-être un jour tirer profit de leur présence à la veillée funèbre.

– Qu'est-ce que tu fais ici ? me demanda Isabel en s'approchant.

Le noir lui allait à ravir.

– Je suis venu te présenter mes condoléances, dis-je d'un air faussement affligé.

– Comme c'est gentil ! Tu veux faire une prière pour le repos de son âme ? demanda-t-elle, tout sourire.

– J'aimerais mieux sortir d'ici.

– Eh bien partons ! Je suis venue, on m'a vue, j'ai respecté l'étiquette. Je te mentirais en te disant que cette mort me bouleverse. En fait, elle me laisse indifférente.

Nous traversâmes la place Murillo et nous engageâmes en silence dans la rue Ingavi.

– Mon oncle a mené grand train et mangé à tous les râteliers. Il ne lui manquait plus que devenir président de la République. D'ici quelques années, il y serait peut-être arrivé, qui sait ? Il avait énormément de chance.

– Dommage qu'il n'ait pas eu de cœur.

– Tu sais, il n'est pas mort d'une crise cardiaque, soufflat-elle en me jetant un petit regard en biais, attendant une réaction de ma part.

– Qu'est-ce que tu dis ? m'écriai-je.

– Ça reste entre toi et moi, Mario. Je te demande de ne pas ébruiter cette histoire.

– Tu peux compter sur moi.

– Il a été assassiné pendant qu'il était avec sa maîtresse. C'était une acheteuse d'or. Mon oncle avait une garçonnière tout près d'ici, rue Colón.

– Et qui a bien pu faire ça, d'après toi ?

– N'importe qui. Beaucoup de gens le détestaient. D'autres savaient qu'il achetait tous les jours beaucoup d'or.

– Mais… pourquoi inventer cette histoire de crise cardiaque ?

– C'est très simple. En plus d'être sénateur, mon oncle était le président et le principal actionnaire de la Banque du Nord. Elle n'est pas très importante, mais gère les comptes des trafiquants de drogue et des blanchisseurs de dollars. Avec l'accord du directeur, ils achetaient de l'or et l'envoyaient aux États-Unis. Là-bas, ils le vendaient en se faisant de grosses marges. Ils ne volaient pas leurs clients, mais se servaient de l'argent qui était sur leurs comptes pour leurs transactions. Ils achetaient ainsi vingt ou trente kilos d'or par semaine. Un jeune ami d'Arminda – c'est le nom de la vendeuse d'or – prenait ensuite l'avion pour New York. Ils lui payaient son billet et lui donnaient mille dollars pour chaque livraison. Ce n'était pas de l'or de contrebande, non, tout était on ne peut plus légal et leurs opérations étaient déclarées. Les acheteurs les attendaient à l'aéroport de New York, escortés par deux gardes du corps armés, puis ils transportaient leur magot dans une banque.

– Mais le prix de l'or est déterminé en fonction du marché international, objectai-je. Comment s'y prenaient-ils pour faire des marges aussi importantes ?

– Ici, l'or du Guanay ou de Tipuani est généralement à vingt-quatre carats. Là-bas, il est à dix-huit. Et puis, ils ne l'achetaient pas toujours au prix du marché. Quand un vendeur était pressé, ils en profitaient pour faire baisser les prix.

Elle souriait, ignorant qu'elle me charmait autant qu'un violon tzigane.

– Il faut avouer que l'idée est géniale, dis-je. Ils gagnaient quelque chose comme quinze mille dollars par semaine.

– Sans prendre aucun risque. L'opération était claire, nette et précise, sauf pour les titulaires des comptes en banque, qui ignoraient qu'on se servait de leur argent.

– C'est pour ça qu'ils ont inventé toute cette mise en scène ?

– Évidemment. Politiquement, il est peu concevable qu'un sénateur qui brigue la présidence du Sénat se livre à ce genre de manœuvres, surtout s'il est membre du parti au pouvoir. Ensuite, les trafiquants de drogue et les blanchisseurs de dollars risquaient de ne pas apprécier qu'on vienne fouiller dans

leurs comptes. Au plus haut niveau, il a donc été décidé que
mon oncle Gustavo était mort d'une crise cardiaque.

– Sa femme et ses enfants sont au courant ?

– Bien sûr, mais je ne sais pas jusqu'à quel point. Sa femme
ne s'entendait plus très bien avec lui.

– Si ça se trouve, c'est sa maîtresse qui l'a tué au cours
d'une dispute.

– D'après mes sources, il était déjà mort quand elle a découvert son corps. La police sait qu'il a été roué de coups. Moi, je
penche plutôt pour des voleurs.

– Combien ont-ils pris ? demandai-je, laissant vibrer une
pointe d'angoisse dans ma voix.

– Environ trente mille dollars en billets et vingt mille en or.
Ils n'ont rien laissé. Voilà la vraie version, celle que personne
ne connaîtra.

Je fis un pas en avant, nerveux, ridicule, comme si on venait
de me pincer le derrière.

– Qu'est-ce que tu as ? me demanda Isabel.

Je regrettais de n'avoir pas volé davantage. Je m'étais comporté comme un idiot. Deux mille ou trente mille dollars,
c'était du pareil au même. Le sentiment de culpabilité n'est
pas proportionnel à la somme d'argent empochée. J'étais bien
naïf. J'avais eu des scrupules à prendre plus d'argent. J'étais
le roi des cons.

– Rien, répondis-je. Je suis juste impressionné par la somme.

Nous remontâmes la rue Yanacocha jusqu'à la rue
Indaburo. La température était printanière et le ciel, d'un
bleu limpide. La ligne dentelée des montagnes, gigantesque
caprice hostile, glacial et stérile de la nature, se découpait au
loin.

– Je ne me réjouis pas de sa mort, dit Isabel, songeuse, mais
elle me semble juste. Il a fait beaucoup de mal, surtout à mon
père. Il l'humiliait parce qu'il le trouvait faible, le détestait
parce que c'était un homme cultivé et raffiné qui avait de la

classe. Il était jaloux. Mon père venait d'une grande famille et pouvait envoyer paître qui il voulait, y compris ma mère et sa fortune. Ce soir, je vais l'appeler pour lui annoncer sa mort, et je sais qu'il sablera le champagne et priera pour que son âme aille en enfer.

J'éclatai de rire. Isabel me regardait avec tendresse. Il aurait suffi d'un mot de sa part pour que je lui révèle mon crime et lui dise que je l'aimais d'un amour absolu et sans espoir. La passion finit toujours par s'essouffler et nous oppresser. Avec Isabel, l'amour devait être bref et fugace.

Elle acheta un roman de Skármeta chez un bouquiniste de la rue Jaén. Le livre était perdu au milieu de manuels de médecine et de vieux exemplaires de la revue *Gráfico*. Je songeai qu'un jour passé avec Isabel pourrait me faire oublier Antonia.

– J'ai cherché ce livre partout. Il parle de Neruda et d'Isla Negra. Tu aimes Neruda ?

– Je préfère la tristesse de César Vallejo. « Je suis né un jour que Dieu était malade… »

– Mon fiancé… dit Isabel d'une voix hésitante, changeant brusquement de sujet. Je suis sûre que tu trouves que je n'ai rien à faire avec un homme comme ça.

– Je l'aime bien, il est sympathique, riche et te donnera beaucoup d'enfants. Avec lui, tu pourras voyager.

– Oh, j'aimerais bien avoir les idées plus claires avant de me marier ! Tu sais, je suis un peu perdue en ce moment, et la mort de Gustavo n'a rien à voir avec mes états d'âme. En fait, je me vois mal en maîtresse de maison, à élever des enfants. J'ai peur de m'ennuyer, peur du quotidien. En revanche, je sais que je ferais une parfaite épouse au bord de la crise de nerfs. Je crois que je vais partir en Italie pour faire des études d'art ou quelque chose dans le genre. Je reviendrai si j'en ai envie. Le pays va de plus en plus mal, mais ça, ce n'est pas nouveau. Ce n'est pas l'idée de vivre dans un pays pauvre qui

m'inquiète, dans la mesure où il est politiquement libre. Je
n'aime pas les États-Unis. J'ai passé un moment à Boston et à
Los Angeles. Les Américains me fatiguent, sauf les Juifs, qui
pensent pour les autres.

– Si j'avais dix ans de moins et un peu plus d'argent, tu me
suivrais jusqu'au bout du monde ? lui demandai-je en sachant
pertinemment que je me précipitais dans un puits noir et
profond.

Elle sourit sans répondre.

– C'est la dernière fois que je te vois, soufflai-je.

Je rougissais et mes jambes tremblaient lorsque je pro-
nonçai ces mots.

– Si tu veux, je te laisserai mon adresse. Tu pourras m'écrire
et me raconter comment tu t'en sors.

Nous poursuivîmes notre marche jusque dans la rue
Pichinga. J'étais calme, en paix avec moi-même. Je venais de
lui faire une déclaration d'amour à l'ancienne, dépourvue de
tout romantisme, comme si je ne me sentais pas concerné. À
ses yeux, j'étais un petit bonhomme insignifiant, un quadra
issu d'un milieu prolétaire tirant vers le haut ou de la classe
moyenne tirant vers le bas ; un cobaye humain susceptible
d'enrichir son expérience, un complément à ses travaux de
recherche universitaires. Mais j'étais surtout un ami, un type
bizarre devenu un confident digne d'écouter ses secrets. Ma
condition sociale étant inférieure à la sienne, il lui semblait
facile de dialoguer avec moi. Je n'avais pas le droit d'exiger
quoi que ce soit pour autant. L'amour et les relations sexuelles
ne faisaient pas partie de son programme. J'aurais préféré
qu'elle me gifle. La haine peut conduire au viol ; l'amitié ne
mène qu'au cinéma ou au café.

Rue Yanacocha, des élèves sortaient d'une école publique,
envahissant le trottoir et une partie de la chaussée, obligeant
les automobilistes à rouler au pas. Ils étaient gais, pleins
d'entrain. Des années plus tôt, j'avais moi aussi été gagné par

cette fureur, le cœur prêt à exploser, heureux d'être jeune. Je croyais encore à l'avenir. Mais l'avenir était désormais derrière moi.

– Je vais retourner au Sénat, m'annonça Isabel. Ma mère m'attend.

– Quand aura lieu l'enterrement ?

– Demain, à onze heures. Le cortège partira de la place. Le président et une partie du cabinet ministériel seront présents.

– Je n'en reviens toujours pas de ce que tu viens de me dire. Tu ne crois pas que la police joue un double jeu ? Qu'elle a accepté la version de la crise cardiaque sous la contrainte, mais qu'elle aimerait quand même mettre la main sur l'assassin ?

– Comment le savoir ? C'est possible…

– Arminda était peut-être la complice des meurtriers.

– Si le ou les assassins sont recherchés, ce sera dans le cadre d'un règlement de comptes.

Elle s'arrêta rue Comercio et posa sur moi des yeux que je n'oublierais jamais. Je l'embrassai furtivement sur la bouche, réservé, timide. Le contact de ses lèvres sur les miennes m'ébranla. Elle ouvrit son sac à main, en tira une carte de visite qu'elle me tendit.

– Ciao. Écris-moi.

– Ciao.

J'aurais préféré qu'elle me gifle.

Je ne trouvai pas Blanca à l'hôtel. Je frappai plusieurs fois à la porte de sa chambre, en vain. Je redescendis dans le hall pour constater que sa clef était dans son casier. J'allai voir ensuite si elle n'était pas avec les entraîneuses du Tropicana. Elles buvaient toutes deux du thé et grignotaient des galettes de riz. Patricia m'informa que Blanca était allée rejoindre un éleveur de bétail qui venait d'arriver de Santa Ana. L'homme lui téléphonait à chacune de ses visites à La Paz. Il était fou

d'elle et lui avait même proposé de divorcer pour l'épouser.
Sa femme, originaire de Pando, détestait cordialement
Blanca.

– Mais tu as un avantage sur lui, déclara Patricia. Il a près
de soixante-dix ans et Blanca n'aime pas les vieillards.

– À quelle heure va-t-elle rentrer ?

– Avec lui, on ne sait jamais. Parfois, ils passent jusqu'à
deux jours ensemble.

– Tu me dois dix dollars, me réclama Fresia, qui ne portait
pour tout vêtement qu'un léger déshabillé.

– Ça a marché avec Antonio ?

– Pas trop, non. Il a proposé qu'on se fasse un bon gueuleton avec les quarante dollars que tu m'avais donnés. Il ne
manque pas d'air, ce vieux. J'ai refusé. Il m'a tripoté les
jambes pendant une dizaine de minutes et il s'est endormi.

Je lui donnai les dix dollars que je lui devais.

– Si vous voyez Blanca, rappelez-lui qu'on avait rendez-
vous.

– Elle ira peut-être à Villa Fátima quand elle en aura fini
avec son éleveur.

Je n'avais pas envie de bavarder. J'étais nerveux, prêt à
craquer. Je ne savais que penser de l'attitude de la police. Si
Arminda avait volé l'argent et l'or, elle avait probablement dit
que l'assassin les avait dépouillés. Les policiers s'étaient mis à
la recherche du meurtrier – autrement dit, ils étaient à mes
trousses – dans l'intention de l'arrêter dans la plus grande
discrétion et de le passer à tabac. Ils devaient penser avoir
affaire à un grand truand, à un cambrioleur hors pair qui,
pris sur le fait, était devenu un tueur. Les forces de l'ordre
connaissaient bien le milieu de la pègre, qu'elles surveillaient
en y infiltrant des mouchards. Si mon hypothèse était la
bonne, j'étais hors de danger. Je n'avais à mon actif qu'une
bagarre à Oruro et un accident avec la voiture de mon patron,
le jour où j'avais renversé un cycliste. Mon casier judiciaire

était vierge de tout autre méfait. Seul Yujra m'inquiétait. L'ancien boxeur pouvait facilement faire le rapprochement entre Arminda et ma personne. Il fallait être idiot pour ne pas s'apercevoir que si j'étais allé au Luribay, c'était plus dans l'intention de surveiller l'acheteuse d'or que de boire des huis-lulus. Si la police l'interrogeait, Yujra la mettrait sans doute sur ma piste.

Il lui suffirait pour cela de me décrire physiquement. Dans ce cas, je ne donnais pas cher de ma peau. Mais Arminda avait également pu se mettre d'accord avec la police et par-tager avec eux son butin. Si c'était effectivement le cas, je ne risquais rien et personne ne serait recherché. Je devais rester sur mes gardes pendant vingt-quatre heures, puis, si tout allait bien, j'obtiendrais mon visa et partirais aux États-Unis.

Je quittai l'hôtel pour entrer dans un bar, rue Evaristo Valle. De là, je téléphonai à Ballón pour savoir où il en était. C'est lui qui décrocha. Il me rassura en m'informant que mon passeport était au consulat et qu'on allait très probablement me délivrer mon visa. J'en profitai pour faire une réservation sur le vol pour Miami de Lloyd Aéreo Boliviano, prévu le len-demain soir.

– Ça, c'est plus délicat, m'annonça-t-il. Il faut débourser un peu plus pour être sûr d'avoir une place, sans quoi ça peut prendre une semaine.

– Combien ?

– Au moins cent dollars. Ils sont de plus en plus gourmands.

– La vie est devenue impossible dans ce pays.

Ballón éclata de rire en ajoutant qu'il m'avancerait les cent dollars, que je n'aurais qu'à le rembourser quand il me ren-drait mon passeport.

Je dînai dans un restaurant chinois, rue Juan de la Riva. Un menu à six pesos arrosé d'une bière. Je demandai au serveur qu'il allume le téléviseur. Au journal de vingt heures, sur Canal Dos, ils attendirent un bon quart d'heure avant d'annoncer la

nouvelle. Un journaliste avait interviewé la femme de Gustavo
dans le hall du Sénat. Elle expliquait aux auditeurs que son
mari travaillait trop et que le stress l'avait tué.

– Il a consacré toute sa vie à la communauté, déclarait-elle.
De là où il se trouve, il nous voit sûrement pleurer et c'est sa
plus grande consolation.

Si, du ciel, il voyait sa famille, il voyait probablement aussi
son meurtrier et devait se dire que j'avais été bien bête de ne
pas lui avoir tout volé. Je savourai mon plat sans plus
m'inquiéter. La bière me calmait et j'avais envie d'en boire
davantage. Après avoir réglé l'addition, j'errai un petit quart
d'heure dans le quartier, ruminant mes pensées. Le souffle
court, j'arrivai devant le Putuncu, un débit de bière situé rue
Potosí. Une cinquantaine de soiffards jouaient aux dés devant
des pintes. Le serveur m'installa à une table, à côté de deux
clients plus calmes que les autres qui lâchaient une ou deux
phrases après chaque gorgée de bière. Chacun de leurs gestes
les faisait ressembler à de vieux pantins désarticulés. Au bout
de trois litres de blonde, je finis par leur demander si cet établissement était toujours aussi mal fréquenté.

– Plus tard, c'est encore pire, me répondit l'un d'eux.

Il ne reprit la parole qu'au bout d'une demi-heure, pour
lâcher, comme s'il s'adressait à lui-même :

– Je me demande combien peuvent gagner les patrons...

Son compagnon s'était endormi sur sa chaise. Il nous grati-
fiait de temps à autre d'un ronflement putride.

Pour régler ma note, je dus changer des dollars au serveur,
qui empocha au passage une petite commission. J'appelai à
l'hôtel pour savoir si Blanca était rentrée.

– Je ne l'ai pas vue de la soirée, grommela le gérant.

Je traînai place Pérez Vasco. Sur l'esplanade, un agent de
police demandait à de jeunes cireurs de chaussures de vider
leurs poches. Ils n'avaient pas plus de dix ou douze ans. Ils
sniffaient du dissolvant et dissimulaient leur drogue dans

leurs boîtes, leurs bonnets ou leurs chaussures. Trois homosexuels en haillons se blottissaient sur une banquette et regardaient les gamins jouer au chat et à la souris avec le policier. Des curieux se moquaient de lui, si bien qu'il finit par quitter les lieux. Une vingtaine de petits cireurs firent alors irruption dans la nuit et commencèrent à inhaler.

Sur les marches qui relient la rue Comercio à la rue Ingavi, un orateur débraillé était en transe. Il lançait des imprécations enflammées. On ne comprenait pas un mot de ce qu'il disait. Il riait, criait et, par instants, nous montrait son derrière. Son pantalon en lambeaux laissait entrevoir des cuisses maigres et noires de crasse. Comme d'habitude, les inévitables catholiques de l'endroit avaient organisé un spectacle payant autour d'un guitariste de village qui ne respirait pas l'intelligence. Le musicien entonna une ballade à la louange du Christ. La nuit de La Paz était labyrinthique. Des milliers d'habitants flânaient sans but précis. Je m'échappai de cet endroit pour prendre un taxi qui me conduisit jusqu'à Villa Fátima, où des lanternes rouges indiquaient l'emplacement des bordels. Il y avait foule devant celui où travaillait Blanca. Escortée par son gorille péruvien, la patronne des lieux surveillait les curieux d'un air pervers. Je lui demandai si elle savait où se trouvait Blanca.

– Elle devrait déjà être là. C'est le meilleur jour de la semaine.

– Si elle n'est pas ici, c'est qu'elle ne viendra pas, décréta l'armoire à glace en levant le menton.

J'attendis tout de même un long moment. À vingt et une heures, le Faro était un florissant marché aux esclaves du sexe. Le vendredi, les prostituées travaillaient sans relâche de vingt heures jusqu'au matin. Elles s'emplissaient les poches de péché et de billets de vingt pesos qu'elles soutiraient à des dizaines de paysans venus en ville en quête de désintoxication sexuelle.

Les passes ne duraient pourtant pas plus de dix minutes.
Pour la première fois dans l'histoire du pays, les indigènes avaient accès à l'intimité de femmes blanches. Quelques années plus tôt, même pour tout l'or du monde, jamais une pute blanche n'aurait accepté de coucher avec un Indien. Aujourd'hui, les indigènes à dix ou vingt pesos étaient leur gagne-pain ; elles ne se formalisaient plus de ce type d'échanges et expédiaient la bagatelle avec une rapidité impressionnante.

Las, je regagnai le centre-ville. Blanca avait manqué sa journée la plus lucrative parce qu'elle était dans les bras d'un riche éleveur de bétail. J'aurais pourtant aimé la voir, l'inviter dans un bon restaurant, l'emmener danser et lui proposer, si cela marchait pour moi aux États-Unis et si elle le désirait, de lui envoyer un billet d'avion pour venir me rejoindre.

J'avais ce problème sur la conscience ou sur ce qui en restait. Je voulais la retrouver, mais elle semblait s'être évaporée. Pour tuer le temps, j'allai au cinéma. Un film de David Lynch passait à la cinémathèque. J'entrai dans la salle sans trop d'entrain, mais au bout de dix minutes j'avais oublié mes soucis. *Blue Velvet* ou les États-Unis mis à nu. La fin du rêve américain, une société qui se révèle dans toute son innocence, sa perversité et son côté grotesque. J'échappais à la misère en sombrant dans le plaisir de l'absurde. Comme Bergman, Lynch connaissait les méandres de l'âme humaine. J'étais captivé.

En sortant, je me rendis dans un gourbi infect en face de la cinémathèque. La salle comptait à peine quatre tables et le patron avait l'air d'un mort-vivant. Quant au serveur, il ressemblait à un vieux boucanier français. Je bus cul sec deux piscos purs, puis quittai cet antre, refuge des ivrognes du quartier. La bruine tombait, indifférente. Les rues commençaient à ne plus avoir de secrets pour moi. Je regagnai l'hôtel et, une fois dans ma chambre, m'écroulai sur le lit, espérant que Blanca aurait bientôt épuisé son éleveur de bétail et viendrait me raconter les peines qu'elle feignait d'ignorer. Je fis des cauchemars et me réveillai sur le coup de trois heures. Un chien cherchait à imiter un loup, brisant le silence du Rosario. J'avais mal au crâne, mon cœur menaçait de me lâcher, comme s'il m'était étranger. Mon pouls s'accélérait pour reprendre l'instant d'après un rythme normal. Je me relevai et sortis dans le patio. Je m'oubliai dans les couloirs et les passages labyrinthiques, jusqu'à arriver devant la porte de Blanca. Je frappai plusieurs fois pour finir par y donner des coups de pied sans obtenir de réponse. Je réveillai tout l'étage. Un touriste étranger sortit en trombe de sa chambre en pointant l'index sur sa tempe :

– Toi fou ! Toi malade ! Il est tard !

Il avait raison. Je retournai dans ma chambre, lus cinq fois de suite le journal et sombrai dans le sommeil.

À dix heures, Antonio m'accueillit avec un chocolat chaud et un petit pain.

– On dirait que vous avez passé la nuit au milieu des fantômes. Vous avez mauvaise mine.

– Je n'ai pas pu fermer l'œil, je pensais au voyage. Vous n'auriez pas vu Blanca, par hasard ?

– C'est une créature nocturne, mais, contrairement à moi, elle quitte l'hôtel alors que je reste cloué au lit à cause de mes crises d'asthme.

Je le remerciai pour la tasse de chocolat et poursuivis mes recherches. À en croire les informations que je pus glaner, Blanca n'avait pas passé la nuit à l'hôtel. Pour ne plus penser à elle, je décidai d'aller à l'agence de tourisme. Il ne bruinait plus. Le ciel était gris et couvert, empreint de cette mélancolie qui déprime tout le monde en altitude.

Dans le taxi, je me demandai ce que j'allais faire si Ballón n'avait pas mon visa. Ma question resta sans réponse. Je me consolai en me répétant qu'il me l'avait présenté comme un fait aquis. Je descendis de voiture en tremblant. Ballón était dans son bureau et discutait avec un homme qui ressemblait étrangement à l'infatigable vendeur de l'hôtel California. La secrétaire se vernissait les ongles. Elle me fit patienter. Le grand sourire que m'adressa Ballón lorsqu'il me reçut calma toutes mes craintes.

– Tout s'est très bien passé. Nous avons dû presser un peu notre contact au consulat, mais je lui ai dit que c'était pour quelqu'un de sérieux. J'ai eu un plus de mal avec le billet d'avion. Pendant une demi-heure, j'ai essayé de convaincre un employé sourd comme un pot, mais les cent dollars ont eu raison de lui. Voici votre passeport avec le visa de tourisme, valide trois mois à compter d'aujourd'hui, et votre billet sur le vol de ce soir. Vous devez être à vingt heures à l'aéroport et vous me devez cent dollars.

Je lui tendis le billet vert.

– Évidemment, inutile que tout cela s'ébruite. Il y a des fouineurs partout, vous comprenez ? Ils peuvent me créer des ennuis.

– Je serai muet comme une tombe.

– Eh bien, bon voyage. Ne vous faites aucun souci à l'aéroport de Miami. Tout est en règle. Au revoir, monsieur Alvarez.

J'avais le visa sous les yeux, et pourtant je n'arrivais pas à y croire. Dans la rue, j'ouvris à nouveau mon passeport pour regarder ce qui m'avait fait commettre un crime. C'était cher payé, beaucoup plus cher que l'entrée du paradis.

Une centaine de personnes, place Murillo, attendaient pour voir partir le cercueil de Gustavo, ex-ambassadeur, ex-parlementaire, ex-maire, ex-recteur de l'université de San Andrés, ex-auteur de coups d'État et ex-truand. La fanfare militaire faisait une pause avant l'arrivée du corps. Des personnalités du monde politique et militaire devisaient aimablement.

Je m'installai à l'ombre d'un arbre d'où je pus apercevoir quelques officiers de police à la moustache solennelle. Accompagné de ses proches collaborateurs, le président de la République se dirigeait vers le Parlement. Quelques minutes plus tard, le chef de la fanfare fit signe à ses musiciens d'entamer une marche funèbre. Une petite dizaine d'employés parlementaires portaient le cercueil. Le corps froid et immobile de Gustavo s'apprêtait à faire son ultime promenade sur la place qui avait été sa seconde demeure. La famille suivait la bière. Je repérai Isabel et María Augusta, drapée d'innombrables voiles noirs. Le président ouvrit la marche, et le cortège lui emboîta le pas jusqu'à la rue Ingavi. Depuis le ministère des Affaires étrangères, quelqu'un lança une gerbe de roses. Un Indien s'en empara avant de se perdre dans la foule. Je me concentrai sur Isabel, que je ne reverrais plus. Elle était sobrement vêtue de noir, ainsi que le requéraient les circonstances. Elle avait toute la distinction que Dieu accorde à certains à la naissance, l'une des rares choses au monde qu'on ne peut acheter.

Je réglai les derniers détails de mon départ, extirpai l'argent de sous la brique et le glissai dans l'une des poches de ma nouvelle veste. Je posai ma valise dans le hall de l'hôtel tandis que le gérant me regardait d'un air moqueur. J'avais réglé ma note. Je m'offris même le luxe de laisser un pourboire. J'espérais encore croiser Blanca, mais elle n'était ni au Lobo, ni dans les salles de jeu du quartier.

De retour dans le patio, je discutai avec Antonio, qui s'apprêtait à aller vendre un livre de Tolstoï chez les bouquinistes.

– J'ai besoin de lecture pendant le voyage, lui dis-je. Je vous l'achète cinquante dollars.

– Toujours aussi farceur, Mario.

Je lui glissai le billet dans la paume de la main.

– Je ne vous oublierai jamais, balbutia-t-il, ému. Lisez-le avec attention, ce vieil homme avait des choses à dire.

– Je n'ai pas trouvé Blanca.

– Vous vous y êtes attaché, n'est-ce pas ? Elle aussi vous aime à sa manière. Ces filles-là ont du cœur. Je lui dirai que vous l'avez cherchée.

Nous nous embrassâmes, puis je demandai au groom de m'appeler un taxi.

Antonio me regarda partir, la main levée, un sourire de gnome moqueur aux lèvres.

– Fumeurs ou non fumeurs ?

– Ça m'est égal.

La jeune femme du comptoir d'enregistrement griffonna quelque chose sur ma carte d'embarquement.

– Allez au contrôle d'identité, s'il vous plaît. Le vol est retardé.

Je m'enquis de la raison de ce retard auprès d'un employé de la compagnie. Visiblement, il s'agissait d'une histoire de passeports. Après avoir acheté le dernier numéro de *Cambio 16*, je me glissai dans la file d'attente. Un homme âgé à la barbe blanche et bien taillée, à l'accent espagnol très prononcé, se plaignait du contretemps.

Ce fut enfin mon tour et je tendis mon passeport à un jeune homme aux airs de dandy. Il l'examina attentivement et le montra à un policier en faction dans le bureau.

– Monsieur, veuillez avoir l'amabilité de me suivre, déclara ce dernier.

– Pourquoi ?

– Nous vous le dirons dans le bureau, souffla-t-il.

Mon heure était venue. Ils allaient me fouiller et mettre la main sur les dollars, qui étaient sûrement numérotés.

L'agent de police me conduisit dans une pièce contiguë au guichet. Debout, appuyés contre un bureau, se trouvaient un autre policier ainsi qu'un grand blond aux traits anglo-saxons, qui me regardait avec bienveillance. Son imperméable me fit songer à Humphrey Bogart. Une femme d'une quarantaine d'années était assise sur un canapé. Elle portait une robe à fleurs coupée dans un tissu criard et séchait ses larmes avec un petit mouchoir. Le jeune homme pâle qui était à ses côtés me lança un regard effarouché, en état de choc. Il n'avait pas vingt ans. L'officier de police prit mon passeport, que lui tendait un subalterne qui l'appelait « capitaine ». Après y avoir jeté un rapide coup d'œil, il le remit au blond qui le feuilleta lui aussi. Il le passa ensuite dans une horrible petite machine, une sorte d'ordinateur sur lequel il tapa des chiffres mystérieux. Un silence sépulcral régnait dans la pièce.

– En voilà un autre, déclara-t-il au capitaine.

L'officier de police toussota, leva le menton et déboutonna le col de sa chemise.

– Monsieur Mario Alvarez ?

Il avait adopté le ton sévère d'un gardien de prison.

– Oui. Il y a un problème ?

– Où avez-vous obtenu ce visa ?

– Je suis passé par une agence de voyages, pourquoi ?

– Comment s'appelle cette agence ?

– Turismo Andino.

L'Anglo-Saxon et le capitaine échangèrent un regard de connivence. Le blond avait un sourire radieux.

– Avez-vous payé pour obtenir ce visa ? me demanda le capitaine.

Je ne savais quoi répondre. La femme sanglotait. Le garçon me regardait d'un air désespéré, comme s'il cherchait à me communiquer son chagrin métaphysique.

– Oui, je leur ai donné un peu d'argent pour qu'ils accélèrent les formalités.

– Un peu ? Quelle genre de somme ?

– Je ne me souviens plus. Assez d'argent pour éviter les lenteurs bureaucratiques.

– Le visa pour les États-Unis est gratuit, vous le saviez ?

– Oui, bien sûr, mais M. Ballón m'a dit qu'il fallait attendre deux semaines pour l'obtenir.

– Il m'a dit la même chose, balbutia la femme.

– À moi aussi, ajouta le garçon.

– Il a tenu ces propos à de nombreuses autres personnes. Il vous a escroqués, déclara le capitaine.

J'avais un point à l'estomac. On ne m'empêchait pas de
partir à cause du meurtre que j'avais commis, mais parce que
Ballón nous avait trompés.

— Mais si le visa est gratuit, cela signifie que Ballón est un
escroc, murmurai-je.

— Il ne s'agit pas seulement de ça, fit observer l'Américain
avec un léger accent. Cet homme a fait de faux visas. Ces
passeports n'ont jamais été envoyés au consulat des États-
Unis.

— Ce n'est pas possible, bredouillai-je. Personne ne peut
contrefaire des visas.

— M. Ballón fait partie d'une bande de faussaires qui a des
ramifications à l'étranger. Nos services d'immigration à
Miami ont arrêté une dizaine de Chinois en possession de faux
visas. Un travail de professionnels. Ils ont réussi à nous faire
douter pendant des mois. Les Chinois avaient obtenu ces visas
par l'intermédiaire de l'agence Turismo Andino.

— Mais ce n'est pas ma faute, murmurai-je. Je croyais que
ce visa était tout à fait légal, j'étais persuadé qu'ils étaient
passés par le consulat. Ballón m'a dit qu'il s'agissait juste
d'écourter les démarches.

Le fonctionnaire nord-américain s'avança vers moi et me
serra la main.

— Je m'appelle Jack Martin. Vous n'avez rien à craindre. Si
vous ne saviez pas que Ballón était un escroc, vous n'êtes cou-
pable de rien.

— Bien sûr que non.

— Pourtant, monsieur Alvarez, pouvez-vous me dire pourquoi vous n'êtes pas allé au consulat ? Ne savez-vous pas qu'il
faut se présenter en personne pour l'obtention d'un visa ?

— J'y suis allé, mais la file d'attente était impressionnante.
Voilà pourquoi j'ai décidé d'accélérer les choses et de m'adresser
à une agence de voyages.

— Vos papiers sont en règle ?

– Oui. J'ai l'acte de vente de ma maison, des relevés de mes comptes en banque, j'avais réuni tous les papiers nécessaires...

L'Américain eut un sourire.

– Pourquoi avoir choisi cette agence, précisément ? Elle n'a
pas pignon sur rue. Il y a d'autres agences de voyages beaucoup plus connues dans le centre de La Paz.

– Un ami à moi avait fait appel à eux pour aller au Brésil. Il
me les a recommandés et je dois dire qu'ils avaient l'air
sérieux.

– Ballón ne vous a pas dit que, tôt ou tard, il faudrait vous
présenter au consulat ?

– Si.

– Combien avez-vous payé ? De toute manière, nous finirons
bien par le savoir.

– Demandez-le à Ballón ou à sa secrétaire.

– À quelle heure vous a-t-il rendu votre passeport ?

– Dix heures, dix heures et demie.

– Vous ne l'avez pas trouvé nerveux ?

– Ballón ? Pas du tout. Il avait l'air heureux comme un
poisson dans l'eau.

En colère et déçue, la femme se leva et se posta devant le
fonctionnaire américain.

– Ballón est votre homme, alors pourquoi nous retenez-vous ?

L'homme recula comme si un chien enragé était en train de
le renifler.

– Ballón nous a filé entre les mains, déclara le capitaine. À
une demi-heure près, nous le tenions.

– C'est un agent de police qui l'a prévenu, expliqua le
garçon.

Le capitaine lui lança un regard noir.

– Vous avez de la famille aux États-Unis ? me demanda
l'Américain.

– Mon fils vit en Floride et m'a envoyé un billet d'avion pour que j'aille le voir.

– Que fait-il là-bas ?

– Des études…

– Grâce à une bourse du gouvernement américain ?

– Non, je lui envoie un peu d'argent.

– Combien ?

– Cinq cents dollars, parfois plus…

– C'est un peu juste pour vivre aux États-Unis.

– J'imagine qu'il a des petits boulots. Mon fils n'est pas très dépensier.

– Dans ce cas, vous avez sûrement un salaire confortable.

J'avais envie de l'envoyer paître, mais je devais jouer serré.

– Je dirige une entreprise.

Il se fendit d'un nouveau sourire mielleux et arrogant.

– La police doit s'assurer que vous n'étiez pas au courant des combines de Ballón.

– Comment pouvez-vous nous soupçonner ? protesta la femme. Nous nous sommes fait avoir !

– Pourquoi lui aurions-nous donné notre argent si nous avions su qu'on se ferait prendre et qu'on resterait en Bolivie ? ajouta le garçon.

Il disait vrai. Tout le monde se tut. L'Américain prit le capitaine à part. Ils bavardèrent un moment à voix basse.

– Les jours de liberté de Ballón sont comptés, déclara le capitaine en se grattant la tête. Il n'a pas encore quitté le pays. Nous devons lui mettre la main dessus. Entre-temps, je suis obligé de remettre vos passeports à nos amis américains afin qu'ils annulent vos visas.

– Et après ? demanda le garçon.

– Je vais devoir garder vos passeports jusqu'à ce que Ballón soit sous les verrous.

– Mais ça peut prendre des années ! m'exclamai-je.

– Quelques jours, pas plus, maugréa le policier.

Il avait l'air en colère. Il voulait une glace à la cannelle et on venait de lui en servir une au cacao amer.

– Quand nous aurons établi votre innocence, vous pourrez toujours retourner au consulat pour vous faire faire un nouveau visa, suggéra-t-il.

– Rien de plus facile, renchérit l'Américain.

La femme, le garçon et moi partîmes d'un rire nerveux, dépités.

– Je n'ai pas les moyens de rester à La Paz ! Je viens de Sucre ! s'exclama le garçon.

– Eh bien, retournez-y. On vous préviendra, dit le capitaine.

Le jeune lâcha un juron tandis que le policier se courbait en faisant le gros dos comme un chat.

– Je vous conseille de vous calmer si vous ne voulez pas finir derrière les barreaux.

– Nous ne sommes plus sous un régime militaire. Vous ne pouvez pas m'arrêter sans que j'appelle un avocat. La dictature est terminée.

Le capitaine interrogea le fonctionnaire américain du regard, qui eut un geste d'impuissance. Le garçon n'avait pas tort.

– Vous pouvez partir, dit le policier. Nous n'avons aucune charge contre vous. Présentez-vous au guichet de Lloyd Aéreo Boliviano pour récupérer vos bagages.

– Je veux mon argent, grommelai-je. Je veux que ce salaud de Ballón avoue. Si vous vous débrouillez correctement, vous mettrez vite la main sur lui.

– Combien avez-vous payé ? insista l'Américain, obstiné.

Je ne répondis pas. La femme était en larmes ; le garçon ne cessait de jurer en détachant chacune de ses syllabes, comme le font les gens originaires de Tarija.

– Ballón sera capturé d'ici quelques jours au plus tard, promit le capitaine.

– Et la secrétaire ? demandai-je. Elle doit être au courant de tout.

– C'était sa maîtresse. Ils sont tous les deux en cavale.

Surpris, en colère, mais résignés à notre sort, nous allâmes nous asseoir dans la salle d'attente, où les passagers des vols internationaux s'apprêtaient à embarquer. Les touristes étrangers, pour la plupart des Allemands et des Français, sirotaient un dernier café bolivien à un peso avant d'aller faire la queue pour rejoindre leur avion. Une jolie fille en uniforme bleu prenait les cartes d'embarquement. Elle adressait un grand sourire à chacun en lui souhaitant bon voyage. L'appareil de Lloyd Aéreo Boliviano ronronnait sur le tarmac. Des lumières colorées et hypnotisantes clignotaient sur la carlingue. Nos rêves, nos désirs et notre bonheur tant convoité allaient s'envoler avec lui. La salle se vida en quelques minutes. Nous restâmes seuls, muets et pétrifiés. Comme un gigantesque oiseau, l'avion se préparait à décoller et à se perdre dans la nuit. Nous ne nous levâmes que lorsque le bruit de ses moteurs se tut, perdu dans le firmament, et quittâmes le hall presque désert. Les chauffeurs de taxi qui n'avaient pu trouver de clients attendaient devant les portes. La femme fit appel à un petit homme pour qu'il l'aide à récupérer ses bagages au comptoir de la compagnie aérienne. Le garçon comptait son argent, les mains tremblantes et le regard haineux.

– Je suis fichu, marmonna-t-il. Il ne me reste que vingt dollars.

– C'est suffisant pour rentrer à Sucre chez tes parents.

– Mes parents ? Qu'est-ce que vous savez de ma vie, vous ?

– Tu es seul au monde ?

– J'ai un frère, il est franciscain. J'ai économisé trois ans pour pouvoir aller à Seattle. J'avais dégoté du travail là-bas.

– Et moi, je devais être embauché à *The House of Pancakes*, 231
à Miami.

– Quel salaud, ce Ballón. Si je le vois, je le tue. Dites, vous ne pourriez pas me prêter dix pesos ?

Je lui tendis un billet bleuté.

– Vous ne voulez pas m'accompagner pour récupérer mes bagages ?

Il était encore rouge de colère.

Nous croisâmes la femme à la robe fleurie tandis que nous nous dirigions vers le comptoir de la Lloyd Aéreo Boliviano. Elle écumait de rage et avait les larmes aux yeux.

– Que s'est-il passé ? voulut savoir le garçon.

– Nos bagages sont partis à Miami.

Je ne pus m'empêcher d'éclater de rire.

– Ça vous amuse de vous retrouver sans papiers et sans affaires ?

Un chauffeur de taxi vint nous proposer ses services à moitié prix.

– Heureusement que j'ai encore de l'argent, dit la femme. Qui veut partager le taxi avec moi ? Nos valises ont eu leur visa, elles, alors inutile d'attendre dans le froid.

– Vas-y, toi, dis-je au garçon. Je vais marcher un peu, ça me remettra les idées en place.

Le taxi s'éloigna. La femme me salua d'un geste de la main. Je me dirigeai vers le guichet du parking, traversai une route d'asphalte et me retrouvai dans un fossé. J'urinai tout en tâchant de réfléchir. J'étais aussi vide que le ciel nocturne. Le vent me fouettait le visage. Je regagnai la chaussée et m'engageai dans une rue sombre et déserte. Un chien sortit d'une bicoque en aboyant. Il ressemblait à un mouton. Je lui lançai une pierre et il disparut dans le noir.

J'étais en terre aymara, à errer dans les rues boueuses. Je rejoignis bientôt une artère goudronnée. La circulation était dense. Il s'agissait manifestement de la route qui menait à Oruro. J'étais étonné de voir des commerces ouverts à une heure si tardive. Des poids lourds ne cessaient de passer dans les deux sens.

Je cherchai un bar, n'importe lequel. Il me fallait une eau-de-vie, n'importe laquelle. Rue Tiwanacu, qui est à la fois une voie de transit et un marché, j'aperçus un café situé au rez-de-chaussée d'un immeuble en brique de trois étages. La tradition aymara veut que les façades restent brutes, sans stuc ni crépi, dans le but d'économiser quelques pesos et de cacher ses richesses.

Le bar, curieusement appelé *El Cisne**, se trouvait au fond d'une boutique de vidéos. Quelques tables avaient été disposées sur une chape de béton. Un serveur en chemise visiblement transi me servit un double pisco avec une tranche de citron. Deux Aymaras discutaient dans leur langue. À leurs mains calleuses et à leurs bottes couvertes de ciment sec, je déduisis qu'ils étaient maçons. Je n'avais jamais vu d'aussi près la ville-dortoir de El Alto, surnommée la Cité du Futur. Jusque-là, je n'avais fait que la traverser pour me rendre à La Paz. C'est une localité entièrement peuplée d'Aymaras, la seule au monde construite exclusivement pour eux, à quatre mille mètres d'altitude. Elle compte trois cent mille habitants. Tous les jours, des paysans de l'Altiplano y débarquent, désertant ce qui est en passe de devenir aussi dépeuplé qu'une steppe martienne. Là, personne ne parle l'espagnol, mais cette langue âpre et hachée qu'est l'aymara. Parfois, un mot castillan surgit au milieu d'une phrase.

Le pisco me monta vite à la tête à cause de l'altitude, et je ne tardai pas à sentir ses effets bénéfiques et revigorants. Je

---

* Littéralement « Le Cygne ». (*NdT*)

n'avais envie de penser à rien, pourtant les idées se bousculaient dans ma tête, bourdonnant comme des insectes.
Ballón avait réduit mes rêves à néant. La situation dans
laquelle je me trouvais était surréaliste. Pas question de
retourner à l'hôtel, défait et ridicule. En plus d'Oruro, la
ville de La Paz m'était désormais interdite. Avec mille dollars, j'avais de quoi vivre un an à El Alto, perdu au milieu
d'Indiens toujours en mouvement. Tel était peut-être mon
destin. Après quoi je me tirerais une balle dans la tête ou
plongerais dans l'alcool au point de transformer mon foie
en éponge. Je mourrais d'une cirrhose et d'une crise
cardiaque.

Je demandai au serveur où je pouvais manger un morceau.

– Rue Antofagasta, il y a un snack, *El Trigo Verde*.

Je sortis sur le haut plateau gelé. La rue Antofagasta est une
grande artère bordée de toutes sortes de commerces : épiceries, quincailleries, garages, pharmacies et petits restaurants.
La version aymara de l'avenue Buenos Aires, en moins
encaissée. Le vent toujours violent y chasse toute odeur de vie.
Les mouches n'ont pas droit de s'y enivrer.

El Trigo Verde était un boui-boui glacial. Il y régnait un froid
si intense que la viande paraissait trembler derrière la vitrine
du comptoir. Un cuisinier à la peau cuivrée me servit un ham-
burger et des frites.

J'hésitai entre me soûler ou me jeter au fond d'un des
ravins, au milieu des bidonvilles. À vrai dire, je n'aimais pas le
vide, j'avais le vertige. Restait une autre solution : donner cinq
cents dollars à un boucher pour qu'il m'éventre comme un
bœuf. Non, j'étais trop douillet pour cela. Cela dit, le pisco
était un bon anesthésiant. Mais où trouver le boucher ? Le
serveur en connaissait sûrement un.

– Garçon !

L'Indien voûté, maigre et indécis, s'approcha.

– Oui, monsieur ?

234   – Je cherche un endroit où passer la nuit.

– Quelque chose de bien ou de moyen ?

– Disons… ce qu'il y a de mieux dans le quartier.

– La pension Primavera, sur la place Azurduy de Padilla. C'est vraiment confortable.

L'avenue Antofagasta me sembla d'autant plus interminable qu'il s'était mis à pleuvoir. À quatre mille mètres d'altitude, les effets du pisco sont décuplés à cause du manque d'oxygène. J'avais le cerveau en ébullition. Les battements de mon cœur résonnaient dans ma tête en bondissant comme des danseurs de samba. Le ciel s'assombrit d'un coup, un vent violent se leva. En un instant, la pluie trempa la veste, le pantalon de lin et le T-shirt que j'avais achetés pour honorer mon arrivée sur le sol de Miami.

J'arrivai place Azurduy de Padilla tout engourdi. La pension Primavera était constituée en tout et pour tout d'un étage qui ressemblait à une ferme de la pampa. Vissée au-dessus d'une porte d'un bleu soutenu, l'enseigne indiquait : *Hôtel familial et bon marché*.

Le hall quasiment désert était meublé d'une table et de deux chaises. Une grosse Indienne qui avait l'air d'un moine italien du Moyen-Âge se tenait derrière la table. Elle me dévisagea, surprise. Ses clients n'avaient pas pour habitude de se promener en tenue estivale. Elle avait un visage peu engageant, un nez crochu, de petits yeux pénétrants. Deux tresses descendaient jusque dans le bas de son dos.

– Une chambre avec salle de bains, dis-je.

– La salle de bains est commune. D'où venez-vous ?

– De nulle part.

– Vous êtes à moitié ivre. Nous n'acceptons pas les ivrognes. La police fait régulièrement des contrôles. Et puis vous n'avez pas de bagages.

Je tirai de ma poche un billet de cent pesos que je déposai
sur son registre crasseux.

– Je paye d'avance. Disons… pour une semaine.

– Une chambre avec un grand lit coûte dix pesos par jour. Il
y a l'électricité.

– Merveilleux !

– Vous avez votre carte d'identité ?

Je la lui remis. Elle l'examina scrupuleusement, puis ouvrit
son registre pour y griffonner quelque chose d'une écriture
minuscule, arabisante.

– Votre dernière adresse ?

– Hôtel California, à La Paz.

Elle leva vers moi des yeux où je crus lire des reproches
aussi lourds que son corps obèse.

– Pas de femmes, précisa-t-elle. C'est interdit par la police.

Elle décrocha une grande clef suspendue à un clou. Je
suivis ensuite son énorme derrière dans une galerie qui lon-
geait un petit patio où jouaient deux chiens efflanqués, et
remarquai une cage contenant un vieux perroquet endormi.
Ma chambre était pire que celle que j'avais occupée à l'hôtel
California. Il y régnait un froid tibétain. Une vieille paillasse
faisait office de matelas, l'oreiller était maculé de taches de
graisse.

– La salle de bains est au bout du couloir. Les douches, c'est
jusqu'à midi seulement.

Quand elle fut partie, je m'assis sur le lit pour fumer une
cigarette. La fumée que je recrachais s'élevait au plafond,
éclairée par la lumière blafarde de l'unique ampoule de la
pièce. J'écrasai ma cigarette et sortis, à la recherche d'un
autre bar. Je tombai sur un cabaret aux stores bleu et rouge
où il n'y avait pas un chat. Le barman avait la peau noire
comme l'ébène. Il ne s'aperçut même pas de ma présence. Je
dus m'approcher du bar pour qu'il me remarque.

– Un double pisco.

Il était presque invisible dans cette salle à peine éclairée par quelques ampoules colorées cachées derrière des piliers à la peinture écaillée et d'horribles pots de fleurs.

– Comment ça se fait qu'il n'y ait personne ?

– Les filles n'arrivent qu'à dix heures et demie. Il faut attendre un peu.

– Vous êtes originaire des Yungas ?

– Oui, de Coripata.

Je m'assis dans un coin, déprimé, désireux de m'extravertir un peu grâce au pisco. Une estrade trônait au milieu de la piste de danse. Je fumais une cigarette après l'autre. Je terminais mon troisième pisco lorsque les danseuses firent leur apparition, gloussant comme des poules. Elles étaient quatre et, à voir leurs visages, elles n'avaient pas dormi paisiblement depuis longtemps.

– Mets le chauffage, Robledo, sinon on va piétiner des cadavres en fin de soirée ! s'écria l'une d'elles.

Ses compagnes s'esclaffèrent. Robledo s'empressa d'allumer un vieux chauffage d'appoint au gaz.

En me voyant, la plus laide des filles s'avança vers moi.

– Tiens ! Lui, il est encore vivant ! s'exclama-t-elle. On revient tout de suite. Attends-nous ici et prépare ton porte-monnaie !

Elle déclencha à nouveau l'hilarité générale. Elles disparurent derrière une porte dérobée en plaisantant et en se bousculant. Un quart d'heure plus tard, elles étaient de retour. Le maquillage avait fait des miracles, elles me semblaient tout à coup bien plus présentables. Elles restèrent à proximité du chauffage en attendant que les premières ombres, des habitants de El Alto, fassent irruption dans la salle. Les clients entrèrent au compte-gouttes. Des morts-vivants. Certains poussaient la porte avec mille précautions, jetaient un coup d'œil timide à l'intérieur et ressortaient. À vingt-trois heures, le spectacle commença. Dix hommes emmitouflés occupaient les tables près de la piste. Le show consistait à exécuter une première danse habillée, puis une deuxième en retirant quelques vêtements. À la troisième, la fille se déhanchait dans le plus simple appareil. Du nu intégral sans grâce ni piquant. Ces strip-teaseuses occasionnelles avaient quelques kilos de trop et des poignées d'amour venaient gâcher leurs corps prématurément flétris.

J'avais déjà un sévère coup dans le nez mais restais immobile et sérieux. Comme toujours. Le monde tournoyait comme un manège. Je me levai en chancelant pour aller aux toilettes, au fond d'une courette. Pendant que je me soulageais, un jeune homme se peignait devant le miroir. Il glissait parfois un œil dans ma direction, cherchant sans doute à s'assurer que j'étais encore là. Il avait tout au plus vingt-cinq ans et une allure de petite frappe.

– Il fait froid, me dit-il avant de sortir.

Je me contentai d'acquiescer d'un hochement de la tête.

De retour dans la salle, je commandai un soda pour apaiser la tourmente qui faisait rage dans mon cerveau. L'homme que j'avais croisé aux toilettes s'installa à ma table sans que je le lui aie proposé.

– Dis donc, mec, tu es tout seul, pas vrai ? Tu ne veux pas que je te tienne compagnie ?

– Non, je préfère rester seul.

Sans faire cas de ce que je venais de lui dire, il appela le serveur.

– Une bière bien fraîche.

Trois jeunes types entrèrent. Des amis de mon hôte indésirable. Ils s'installèrent à leur tour à ma table avec arrogance.

– Eh mec, t'es venu en voiture ? me demanda l'un d'eux.

Que cherchaient-ils ? Des consommations gratuites ? Ils étaient grossiers, sales et insolents, mais on ne pouvait pas espérer mieux dans les parages.

Ils levèrent leur verre à ma santé et commencèrent à se moquer d'une danseuse qui se démenait maladroitement sur un rap.

– Retourne à l'asile !

– Elle n'a pas le sida, ajouta un des sales types, qui avait l'air d'un moujik de Gorki. Elle a la lèpre.

Tous les quatre éclatèrent de rire. L'un d'eux, un garçon maigre au visage maladif et aux joues creuses, ouvrait exagérément la bouche et me montrait des dents cariées.

– Eh, dit un gros à la figure couverte de cicatrices. Où est ta caisse ? Je n'en ai pas vu dans la rue.

– Je suis venu en taxi.

– Ça m'étonnerait ! s'exclama le maigrichon. Tu sais où il y a de belles nanas ? Au Mirador…

– Au Mirador ?

– Ouais, c'est tout près, à deux cents mètres d'ici. Les gonzesses sont superbelles. Que des Argentines et des Chiliennes habillées en Indiennes, qui chauffent les crétins dans ton genre.

– Je ne suis pas un crétin, bredouillai-je.

J'avais l'impression de regarder la salle à travers des verres opaques.

– Tu veux y aller ?

– Tu peux nous faire confiance. Si tu nous payes deux ou trois bières, on te montrera tous les secrets de El Alto.

– Tu aimerais qu'on te dise la bonne aventure ? L'avenir, la santé, les affaires ?

– Et comment on y va, là-bas ? lâchai-je, résigné à les suivre.

– En canoë, mon pote.

Ils ne me quittèrent pas du regard lorsque je réglai les consommations. On aurait dit des plantes carnivores. J'étais trop ivre pour me rendre compte que je venais de tirer de ma

poche une liasse impressionnante de billets. Le gros me souleva et m'entraîna à l'extérieur.

La pluie avait cessé. La rue était d'un calme olympien. L'air frais me redonna un peu de vigueur, mais pas assez pour que je puisse contrôler mes gestes.

– On va là où il y a de la lumière, soufflai-je. Rue Antofagasta.

– On va là où tu veux, frangin.

Nous arrivâmes au marché de La Ceja. Les Indiennes qui vendaient de la viande et des légumes fermaient leurs stands. Il n'y avait pas beaucoup de lumière, pas beaucoup de monde non plus.

– Par là, signala le moujik.

Nous pénétrâmes dans un vaste labyrinthe de cabanes en tôle et d'étroites ruelles. La boue et les flaques ne facilitaient pas notre marche déjà hésitante. Nous nous retrouvâmes dans une galerie qui sentait l'encens. Des shamans aymaras nous invitaient à entrer. Se faire lire l'avenir dans les feuilles de coca coûtait deux pesos.

– J'en connais un qui ne raconte pas de conneries. Il est super, dit le maigrichon.

Au bout du corridor bordé de tôle, un jeune shaman en poncho, chaussé de sandales et coiffé d'un bonnet traditionnel, fumait une cigarette.

– C'est lui, dit le moujik. Tu veux qu'il te dise la bonne aventure dans les feuilles de coca ou qu'il te tire les cartes ?

Je m'assis sur un banc, face au shaman. Une petite table sur laquelle le devin divisa les feuilles de coca en trois tas nous séparait. L'homme était jeune et vif. Je lui donnais vingt-deux ans.

– La coca est mieux que les cartes. Parfois, les cartes se trompent.

Le premier tas était pour la santé, le deuxième pour la fortune, le troisième pour l'amour.

– Je veux juste connaître mon avenir, déclarai-je. Le reste ne m'intéresse pas.

– L'avenir, seulement. Il faut mélanger la coca.

Il en fit un seul tas, lança une poignée de feuilles en l'air en récitant des formules aymaras puis répéta deux fois l'opération.

– Voilà ton avenir.

– Qu'est-ce que tu vois ? Un voyage ? Un long voyage ?

– Pas de voyage, dit le shaman en caressant les feuilles vertes. Pas de voyage. Une vie calme, sans surprises. Ta femme veillera sur toi. Parfois, tu auras de l'argent, parfois tu n'en auras pas. Il faut tout purifier avec la fumée sacrée. La maison, le corps, l'âme.

Je lui donnai ses deux pesos et allai rejoindre les petites frappes.

– Alors ?

– Je ne sais pas de quoi il parle. Je n'ai pas de famille.

Ils s'esclaffèrent. L'un d'eux me prit par les épaules.

– Et maintenant, au Mirador. Si tu veux te faire une petite Argentine, c'est cinquante dollars. Tu les as ?

Je ne répondis pas. Nous étions dans un terrain vague, à l'entrée des petites cabanes de tôle, là où les sentiers bifurquent, comme dit Borges.

– C'est où ? demandai-je.

– Là-bas. Tout près d'ici.

Il désignait la nuit. Je pus voir le dos de la statue du Christ qui bénissait la ville de La Paz, puis sentis qu'on m'empoignait le bras. J'essayai de me dégager, mais j'étais trop soûl pour cela. On m'envoya un premier coup de poing dans la mâchoire et un coup de pied dans le ventre suivi de plusieurs directs dans la figure. Le type qui me tenait le bras commença à le tordre. Un nouveau coup de pied dans les côtes me fit tomber par terre. J'étais incapable de réagir. Je ne pouvais qu'encaisser.

– Poussez-le dans le ravin !

Ils me portèrent jusqu'à une immense décharge. Une ombre se dressa au milieu des papiers et des vieux chiffons. C'était un chien errant qui se mit à aboyer. Les quatre connards me volèrent mon argent, ma carte d'identité, ma veste, ma chemise, ma cravate et même mes chaussures. Lorsqu'ils voulurent m'enlever mon pantalon, je trouvai la force de pousser un hurlement. Ils me donnèrent un dernier coup dans le dos et me poussèrent dans le vide. Un rocher interrompit ma course.

Avant de perdre connaissance, j'eus à peine le temps de voir la ville de La Paz. Elle s'étendait comme un gigantesque arbre de Noël couché dans la vallée.

J'eus un réveil lumineux. Le ciel était d'un bleu caraïbe, le vent me rafraîchissait avec la délicatesse d'un éventail andalou. Il y avait cependant une odeur pestilentielle qui détonnait dans ce paysage pittoresque. J'étais en effet sur un terrain étroit qui servait de cloaque à des milliers d'habitants de la Cité du Futur. J'eus du mal à soulever mes paupières. Ces salauds m'avaient frappé entre les sourcils. Je tentai vainement de me lever. J'avais été roué de coups et mon corps était engourdi comme si une centaine de vaches effrayées m'étaient passées dessus. Étrangement, je reposais sur une immense pierre en forme de battoir perpendiculaire à la pente. Trois mètres plus bas, un homme déféquait en lisant le journal. Au bout de quelques minutes, voyant que j'étais vivant, il s'adressa à moi :

– Vous avez pris une sacrée cuite. Je parie que vous ne savez pas où vous êtes ?

– Dans un tas de merde, balbutiai-je.

Il releva son pantalon après s'être essuyé avec la page des sports.

– Mon Dieu ! Mais vous avez été agressé ! s'exclama-t-il en s'approchant. Sûr que ce sont les voyous de La Ceja.

– Aidez-moi, suppliai-je. Je ne peux pas bouger.

– Encore heureux qu'il y ait eu cette grosse pierre. Sans ça, 243 vous auriez fini cinquante mètres plus bas, sur le toit d'une maison. On vous aurait retrouvé raide mort.

– Ce sont les quatre types que j'ai rencontrés au cabaret. J'avais mille dollars sur moi.

– C'est ça. Et ma grand-mère était avant-centre.

– Il faut que j'aille au commissariat.

– Sans chaussures ?

Je regardai mes pieds. Par chance, on m'avait laissé mes chaussettes, dignes et flambant neuves.

– Vous les connaissez sûrement, murmurai-je.

– C'est possible. Combien étaient-ils ?

– Je viens de vous le dire, quatre.

– Et leurs binettes ?

– Pardon ?

– Leurs visages, vous vous souvenez de leurs visages ?

– L'un d'eux était couvert de cicatrices, comme s'il était passé au travers de fils de fer barbelés. Ça vous dit quelque chose ?

– Ça se pourrait. Qu'est-ce que vous me donnez si je le chope ?

– De l'argent. Si je retrouve les mille dollars, vous en aurez la moitié.

– Du calme, mon vieux. Dans votre froc, j'ai l'impression qu'il vous reste quelque chose, déclara-t-il en louchant sur la poche arrière de mon pantalon.

Il avait raison. Quelques billets de dix pesos avaient échappé à mes agresseurs.

– Je crois qu'il vaut mieux que j'aille au commissariat. Quels salauds !

L'homme se rapprocha lentement. C'était un vrai clochard, un cas irrécupérable. Son visage violacé était couvert de taches noirâtres. Il me fixait de ses yeux vitreux et jaunes, ouvrant grand sa bouche édentée aux lèvres enflées. Il portait un pull rouge et un pantalon vert. Il avait dû voler ou récupérer ses chaussures, car elles étaient trop grandes pour lui.

– Si vous y allez dans cet état, ils risquent de vous faire passer un sale quart d'heure. Vous devriez vous regarder dans une glace.

– Aidez-moi à me lever.

– Je n'y arriverai pas tout seul. Attendez un peu, je vais chercher des renforts.

Au bout de quelques minutes, il revint avec un autre vagabond, encore plus abîmé par la vie que lui. À eux deux, ils eurent peine à me soulever et me traînèrent au pied du Christ qui bénissait toujours la ville.

– Vous ne voulez pas donner cinq pesos à ce malheureux ? Il est muet depuis qu'il a trouvé sa femme au lit avec son meilleur ami.

– J'aurais besoin d'un bon café bien chaud, soufflai-je.

– Vous pouvez vous estimer heureux d'être encore en vie. Ces vauriens ne sont pas des tendres.

– Comment vous appelez-vous ? demandai-je en scrutant ses yeux, deux trous noirs annonciateurs d'une mort prochaine.

– On m'appelle Maletas* parce qu'avant je volais des valises à la gare. J'ai pris ma retraite quand j'ai commencé à boire, ajouta-t-il en partant d'un grand rire entrecoupé d'une quinte de toux. Pour vingt pesos, je vous dis où habite le gars au visage couvert de cicatrices.

Nous traversâmes les étranges couloirs entre les cabanes de tôle. Je me rappelais que les petites frappes m'y avaient emmené. Je me rappelais aussi le shaman qui avait lu mon avenir dans les feuilles de coca. Tandis que nous parcourions cet univers marginal, sorte d'Uqbar aymara, je songeais qu'il

* *Maletas* signifie « valises ». (*NdT*)

me serait difficile de reconnaître le sorcier. Et même si je parvenais à l'identifier, il ne dénoncerait pas mes quatre agresseurs sous peine de se faire renvoyer dans son village avec la
marque de Zorro sur le front. Aller voir la police n'était pas
une bonne idée non plus. J'étais capable de leur avouer le
meurtre de Gustavo. Mieux valait se taire et souffrir, comme
le préconisent les vieux boléros.

– Moi, je n'aurais jamais supporté une raclée pareille, me
dit Maletas. Vous êtes costaud.

Le clochard connaissait un gourbi puant dans ce bourbier.
Il m'installa dans un coin et alla bavarder avec le patron, un
Indien prématurément flétri par l'altitude et le froid. Celui-ci
nous servit du pisco et du café.

– Si vous ne voulez pas que je vous aide, laissez-moi au
moins dix pesos, dit Maletas.

– Il me reste encore assez de forces pour vous mettre un
coup de pied aux fesses. Partez, maintenant, ou je commence
tout de suite.

Détruit par l'alcool, le clochard n'était pas un bagarreur. Il
sortit en proférant quelques jurons, maudissant les quatre
vauriens de ne pas m'avoir achevé. Je m'endormis quelques
minutes mais la douleur, lancinante, me réveilla. Elle m'élan-
çait du bas du dos jusqu'à la nuque, me tenaillait les testicules. J'avais l'impression d'avoir deux boules de plomb dans
le pantalon.

Il me fallait de toute urgence des analgésiques et deux jours
au lit. Je ne pouvais pas me faire examiner par un médecin
car je n'avais pas de quoi payer vingt pesos de consultation ni
les médicaments.

Un gamin faisait la manche à un carrefour. Je lui donnai un
peso pour qu'il arrête un taxi et le patron du bar m'aida à
monter en voiture. Le chauffeur dut me prendre pour un
estropié. Près de la pension, il descendit m'acheter trente

cachets de Novalgine et une grande bouteille de Fanta. C'était un chic type.

L'Indienne qui tenait la pension crut dans un premier temps que je m'étais fait renverser par une voiture. Elle et son mari, un homme taciturne, me portèrent jusque sur mon lit. Quand je lui racontai ce qui m'était arrivé, elle commença à gémir.

– Je le savais ! Je savais que vous nous causeriez des ennuis. Si c'est pour mourir, je préfère que vous alliez à l'hôpital.

– Ne vous inquiétez pas, je n'ai pas l'intention de mourir tout de suite.

– Il ne faut pas sortir le soir, il y a beaucoup de Péruviens par ici. Ils sont très cruels.

– Je peux vous dire que mes agresseurs étaient cent pour cent boliviens. J'aurais préféré qu'ils soient péruviens.

Elle secouait la tête comme un cheval cherchant à éloigner les mouches.

– Essayez de dormir, vous vous sentirez mieux après, me conseilla son mari. Nous ne vous laisserons pas mourir ici. Nous vous emmènerons à l'hôpital.

Je tentai de trouver le sommeil, mais la douleur était aiguë, déchirante, continue. Mon corps était à lui seul une énorme plaie, un cataplasme de lave incandescente. Quelques heures plus tard, j'étais pétrifié tant j'avais mal. Il me semblait qu'on avait immobilisé ma colonne vertébrale et que j'allais brûler vif, comme un soldat sur le champ de bataille.

Je m'assoupis une demi-heure, puis une forte hémorragie nasale me tira du sommeil. Je bus un peu d'eau et parvins à mettre la tête en arrière, hors du lit. Les saignements cessèrent. Trois nouveaux cachets de Novalgine atténuèrent mes souffrances jusqu'au soir. Vers vingt et une heures, j'entendis des cris devant la pension. L'Indienne et son mari se disputaient. Les insultes fusèrent une bonne trentaine de minutes. La scène de ménage s'interrompit quand la femme claqua la

porte au nez de son époux, le laissant dans la rue. Constatant
qu'il continuait de pester, elle lui lança un seau d'urine depuis
la terrasse. Il finit par se taire.

Tout rentra dans l'ordre, mais je n'aimais pas ce silence
triste et angoissé de l'Altiplano. La douleur qui s'était
estompée jusqu'alors se réveilla, plus intense que jamais.
Jamais je n'aurais cru qu'une raclée puisse laisser quelqu'un
dans cet état. Je tremblais de froid, mais l'instant d'après je
sentais mon œsophage devenir comme une cheminée brûlante. J'avais trente-neuf, quarante de fièvre ? Je ne le sus
jamais. Je pensais simplement que mon heure avait sonné,
qu'il était temps de quitter ce bas monde, que le moment tant
attendu, redouté mais inévitable, était venu.

Jouant le tout pour le tout, j'avalai ce qu'il me restait de
Novalgine, soit plus de vingt cachets. Je pus ensuite prendre
congé des saints et des pécheurs, d'Antonia et de l'inacces-
sible Isabel. Mon destin était ridicule et sinistre. J'allais
mourir dans une pension de El Alto, seul, fauché, frustré et
abattu. Je ne pouvais pas faire pire. Quand elle découvrirait
mon corps sans vie, l'Indienne me jetterait peut-être en
pâture aux cochons. Et tout cela pour un visa qui n'était qu'un
faux.

« Il faut le voir pour le croire », aurait dit Antonio.

En soulevant les paupières, ce que je découvris me fit froid
dans le dos. Je me trouvais dans une pièce entièrement
blanche. Un soleil aveuglant pénétrait à flots par la fenêtre. La
chambre sentait fortement le désinfectant. À côté de moi, un
homme tout habillé était allongé sur un lit, un casque de moto
posé près de sa tête ensanglantée. L'un de ses bras pendait
hors du lit. Dans un coin, il y avait un lavabo et une petite
table sous laquelle un chat sans doute galeux se grattait obs-
tinément. Une scène kafkaïenne.

Croyant être en plein délire, je me pinçai la joue. Mais j'étais bien réveillé et me trouvais manifestement dans un hôpital. Je palpai mon corps pour constater que seul un slip noir empêchait ma nudité d'être intégrale. Apparemment, je n'avais pas été opéré car je ne voyais pas de cicatrices. Le souvenir de l'agression dont j'avais été victime me revint alors. Je recouvrais la mémoire que j'avais perdue pendant un temps indéterminé. Je n'avais plus mal, j'étais juste un peu pâteux, sans doute sous l'effet d'un sédatif.

J'entendis des pas dans ce que j'imaginais être un couloir. Quelqu'un s'arrêta devant la porte. Quelques secondes s'écoulèrent, puis une petite infirmière entra et se dirigea droit vers moi. Elle avait un visage mat et menu à demi caché par de grosses lunettes. Elle me sourit.

– Vous êtes réveillé ? Il était temps !

– Où suis-je ?

– Dans une clinique de El Alto. On vous a amené hier soir. Nous avons cru que vous vous étiez intoxiqué et nous vous avons fait un lavage d'estomac. Qu'avez-vous pris ?

– Une vingtaine de cachets de Novalgine. J'avais vraiment mal.

– Encore heureux ! Ici, les gens prennent de la mort-aux-rats. Ça ne fait pas dormir, mais ça tue.

– Et cet homme, dans l'autre lit, qu'est-ce qu'il a ?

– Il est mort. Il était ivre quand il a pris sa moto. Il a heurté l'arrière d'un camion. Il avait oublié de mettre son casque, qu'on a retrouvé dans sa sacoche.

– Il est très jeune.

– En général, les vieux ne font pas de moto.

– Qui m'a amené ici ?

– Une jeune dame et une femme plus âgée qui était apparemment la patronne de votre pension, répondit l'infirmière en commençant à faire la toilette du mort après lui avoir non sans mal retiré sa veste en cuir.

– Je me sens vraiment bien. Qu'est-ce que vous m'avez fait ?

– Une injection de Démérol. Vos agresseurs ne vous ont pas loupé. Je parie qu'ils s'y sont mis à plusieurs.

– Quatre. Ils m'ont tout volé.

– Vous avez eu de la chance. En général, ils vous volent et ils vous tuent. Vous aviez beaucoup d'argent sur vous ?

– Mille dollars.

Elle interrompit sa tâche et me regarda d'un air incrédule.

– Et qu'est-ce que vous faisiez, avec mille dollars en poche, dans ce quartier ?

– Hier soir, je n'ai pas pu embarquer pour les États-Unis. J'étais furieux et je me suis soûlé.

– Vous auriez pu attendre le prochain vol.

– C'est une longue et triste histoire. Non. C'est une longue histoire comique et ridicule. J'aurais préféré mourir.

L'infirmière dardait sur moi des yeux de mère attendrie.

– Ce n'est probablement pas l'avis de la jeune femme qui vous a amené ici. Elle n'arrêtait pas de pleurer. Elle vous croyait à l'agonie. Elle a été ravie d'apprendre que vous alliez vous en sortir.

– Qui est cette femme ? Je ne connais personne à El Alto.

– Pourtant, elle avait l'air de bien vous connaître. C'est agréable, d'avoir quelqu'un qui vous aime. En plus, elle est très jolie. Elle ne va pas tarder à revenir. Elle est allée chercher des médicaments à la pharmacie.

– Je vais pouvoir partir ?

– Bien sûr.

– Vous savez… je n'ai pas les moyens de m'offrir une convalescence.

– Vous n'avez rien de grave, juste deux côtes cassées. Je crois que la femme qui vous a amené ici a fouillé dans vos poches, mais elle n'a rien trouvé, alors elle a dit qu'elle se chargerait de tout.

Elle attrapa le bras ballant du mort et le ramena vers sa poitrine pour le poser en croix sur l'autre bras.

– Lui, depuis hier soir, personne n'est encore venu le réclamer ! s'exclama-t-elle en se signant. Dites, c'est vrai que vous aviez mille dollars ou vous vous fichez de moi ?

– Vous avez ma parole d'honneur. Ces salauds ont décroché le gros lot.

Elle sourit avec bienveillance.

– Vous comptez porter plainte ?

– Non, il vaut mieux laisser tomber. De toute façon, je ne reverrai pas mon argent.

– L'important, c'est que vous soyez vivant. La vie vaut beau-coup plus que mille dollars.

Blanca poussa alors la porte de la chambre. Son regard s'illumina, je ne l'avais jamais vue aussi radieuse.

– Qui t'a prévenue ? lui demandai-je.

– La patronne de la pension. Elle avait noté qu'avant ton séjour à El Alto, tu étais à l'hôtel California. Elle a téléphoné là-bas et c'est l'assistant du gérant qui a répondu. Tes amis te passent le bonjour. Antonio m'a donné un livre pour toi.

L'infirmière était le témoin des retrouvailles amoureuses entre une pute sentimentale et un survivant. Si elle avait été prêtre, elle nous aurait volontiers mariés sur-le-champ.

– Figure-toi que mon visa était faux. Et pour couronner le tout, je me suis pris la dérouillée du siècle. Je suis fini !

– Non, parce que je suis là. Je sais, ce n'est pas grand-chose.

Elle s'assit sur le lit et m'embrassa comme si mes lèvres étaient la huitième merveille du monde. Je versai une larme tant ce geste m'émut. Cela faisait longtemps que je n'avais pas été si bouleversé.

– Vous pouvez l'emmener, mademoiselle. Vous signerez les papiers en sortant. La prochaine fois que vous viendrez à El Alto, évitez les décharges, ajouta-t-elle à mon intention.

Elle quitta la chambre en jetant un regard indifférent au motocycliste défunt.

– Lui, il est mort, murmurai-je.

– Je sais, dit Blanca.

J'éprouvais pour elle un amour primaire et muet de pécheur.

– Tu t'es fourré dans une sacrée galère, dit Blanca.

– Tout ça pour rien, au final je n'ai même pas de quoi m'habiller.

– En sortant, nous passerons dans une friperie. Les vêtements viennent de Suisse. Ils sont de bonne qualité.

– Je ne veux pas retourner au California, je ne le supporterais pas.

– Alors on ira chez moi. J'en ai assez de travailler à Villa Fátima, je veux revoir mon village. Tu viens avec moi.

– Je n'ai pas besoin de visa ?

– Non, il te faut juste un peu de bonne volonté ! s'exclamat-elle en riant et en me passant une main dans les cheveux. Tu veux que je te dise la vérité ? En fait, je suis contente que tu n'aies pas pu partir.

– Où étais-tu vendredi soir ?

– J'ai tourné en rond. Je n'aime pas les adieux. Je n'allais pas bien. J'avais envie de te voir, mais je savais que ça n'en valait pas la peine. Tu étais complètement obsédé par ce visa. Ça t'a passé ?

– Par la force des choses. On est quel jour aujourd'hui ?

– Mardi.

– Je suis ici depuis deux jours. Combien as-tu payé ?

– Cent pesos.

– Je te les rembourserai quand nous serons à…

– Tu ne veux vraiment pas venir avec moi à La Paz ?

– Si nous partons dans le Beni, je préfère t'attendre à la pension. J'ai payé une semaine d'avance.

– D'accord.

Blanca réfléchit un instant puis reprit :

– Je peux aller récupérer mes affaires et l'argent que j'ai à la banque. Je n'en aurai pas pour longtemps. Je me ferai faire un chèque que j'encaisserai à Riberalta. Je vais voir si je peux avoir des places sur un vol aujourd'hui. Profites-en pour t'acheter des vêtements. Je passerai te prendre en fin d'après-midi. On partira ce soir ou demain.

Cela me semblait une idée sensée. J'enfilai mon pantalon et un T-shirt que Blanca m'avait acheté. Je n'avais toujours pas de chaussures. Nous quittâmes l'hôpital, situé sur les hauteurs de El Alto. Blanca me laissa cinquante pesos pour des vêtements, puis elle m'embrassa tendrement avant de prendre l'autobus pour La Paz.

Deux cents mètres plus loin, dans la rue Tiwanacu, je m'arrêtai à la friperie dont elle m'avait parlé. L'endroit sentait le fromage suisse, la naphtaline et la terre. Je fis l'acquisition d'une horrible veste à carreaux marron, d'une chemise beige qui avait dû être portée par un fermier suisse et d'une paire de chaussures qui avaient probablement fait le tour du monde. Elles étaient encore impeccables. En quittant les lieux, je me regardai dans un miroir. Même Chaplin était mieux vêtu que moi. Je me trouvais tellement ridicule que je ne pus m'empêcher de m'esclaffer, ce qui me fit mal aux côtes.

Je gagnai l'avenue Antofagasta et arrivai à la pension d'un pas hésitant. L'Indienne m'accueillit, étonnée et inquiète. Afin de la rassurer, je lui dis que je partirais dans l'après-midi ou, au plus tard, le lendemain.

– Cette fois-ci, essayez de rester tranquille, me conseilla-t-elle.

Les chiens me reconnurent. Ils m'escortèrent jusqu'à ma chambre. Je m'allongeai sur le lit. En une semaine à peine, j'étais devenu un meurtrier parce qu'on m'avait refusé un visa et j'avais fini par atterrir dans les bas-fonds de El Alto.

J'avais survécu à la raclée la plus humiliante qui soit. Une fille
du Beni m'avait sauvé et permis d'échapper à un triste destin.
La vie est ainsi, la roue tourne et nous fait gagner ou perdre,
elle nous encourage ou nous détruit, nous rend heureux ou
malheureux et nous permet d'entrevoir telles qu'elles sont les
réalités de ce monde.

On frappa à la porte. C'était l'Indienne.

– Je vous apporte un verre de *chicha**. Elle est fraîche et
vient juste d'arriver de Tarata, dit-elle en me tendant la boisson
avant de s'éloigner.

C'était délicieux. Je retirai ma veste et m'endormis.

Vers quatorze heures, Blanca revint avec ses bagages et
deux billets pour Riberalta, sur un vieux DC3.

– Quand est-ce qu'on part ?

– Demain matin, à six heures et demie. C'est une bonne
heure, tu ne trouves pas ? On fera escale à Trinidad.

– Et à Riberalta, on se mariera. C'est ce que tu veux, n'est-
ce pas ?

– Mais... tu es toujours marié...

– D'après la loi, je suis libre comme l'air.

Elle plia ses vêtements au pied du lit et se glissa sous les
draps.

– Mon pauvre petit demandeur de visa... souffla-t-elle pendant que nous faisions l'amour.

Elle était heureuse et j'étais ravi qu'elle le soit. De mon côté,
j'étais un peu perdu sentimentalement, mais elle m'attendris-
sait, me ramenait à mon adolescence. Ayant renoncé à mes
rêves, j'avais désormais Blanca.

Je m'approchai de la fenêtre pour regarder El Alto,
l'Illimani au loin, majestueux protecteur de la vallée et de la

---

* Alcool andin à base de maïs fermenté. (*NdT*)

cité-dortoir. En quelque sorte, j'étais aussi démuni et plein d'espoir que ses humbles habitants.

– Je suis libre. Tu veux bien m'épouser ?

Elle partit du rire clair des filles de l'est du pays, qui, même dans les mauvaises passes, ne se laissent pas abattre.

– Ça se pourrait, Mario Alvarez.

J'imaginais un enfant se baignant dans une rivière sous un soleil de plomb. Il avait les yeux sincères et tendres de Blanca.